CIGARRO: UM ADEUS POSSÍVEL

Dados Internacionais de Catalogação na Publicação (CIP)
(Câmara Brasileira do Livro, SP, Brasil)

Gikovate, Flávio
　　Cigarro: um adeus possível / Flávio Gikovate. 4. ed.
São Paulo : MG Editores, 2008.

　　ISBN 978-85-7255-059-8

　　1. Tabaco – Aspectos psicológicos 2. Tabaco – Efeito fisiológico
3. Tabaco – Hábito I. Título.

08-03458　　　　　　　　　　　　　　　　　　　　　　　CDD-613.85
　　　　　　　　　　　　　　　　　　　　　　　　　　　　-616.865

Índices para catálogo sistemático:

1. Cigarro : Abuso : Prevenção : Higiene　　613.85
2. Cigarro e saúde : Higiene　　613.85
3. Fumo : Vício : Medicina　　616.865
4. Tabagismo : Higiene　　613.85

Compre em lugar de fotocopiar.
Cada real que você dá por um livro recompensa seus autores
e os convida a produzir mais sobre o tema;
incentiva seus editores a encomendar, traduzir e publicar
outras obras sobre o assunto;
e paga aos livreiros por estocar e levar até você livros
para a sua informação e o seu entretenimento.
Cada real que você dá pela fotocópia não autorizada de um livro
financia o crime
e ajuda a matar a produção intelectual de seu país.

CIGARRO: UM ADEUS POSSÍVEL

Flávio Gikovate

CIGARRO: UM ADEUS POSSÍVEL
Copyright © 1990, 2008 by Flávio Gikovate
Direitos desta edição reservados por Summus Editorial

Editora executiva: **Soraia Bini Cury**
Assistentes editoriais: **Bibiana Leme e Martha Lopes**
Capa: **Alberto Mateus**
Projeto gráfico e diagramação: **Crayon Editorial**
Impressão: **Sumago Gráfica Editorial**

MG Editores
Departamento editorial:
Rua Itapicuru, 613 – 7º andar
05006-000 – São Paulo – SP
Fone: (11) 3872-3322
Fax: (11) 3872-7476
http://www.mgeditores.com.br
e-mail: mg@mgeditores.com.br

Atendimento ao consumidor:
Summus Editorial
Fone: (11) 3865-9890

Vendas por atacado:
Fone: (11) 3873-8638
Fax: (11) 3873-7085
e-mail: vendas@summus.com.br

Impresso no Brasil

INTRODUÇÃO 7

I. HÁBITO, VÍCIO, DEPENDÊNCIA *30*

II. SÓ UM POUCO DE TEORIA *42*

III. O VÍCIO SE INICIA DE MODO ERÓTICO *64*

IV. O VÍCIO SE PERPETUA POR MOTIVOS ROMÂNTICOS *86*

V. A QUESTÃO DA "FORÇA DE VONTADE" *106*

VI. UM PROJETO PARA PARAR DE FUMAR *128*

VII. OS PRIMEIROS TEMPOS SEM O CIGARRO *150*

VIII. A QUESTÃO DO "NUNCA MAIS" *170*

CONCLUSÕES E SUGESTÕES *189*

Cigarro: um adeus possível

introdução

Agora entendo por que tantos poetas, no passado, iniciaram suas obras evocando os deuses e implorando inspiração. Às vezes a gente tem a impressão de que o projeto é maior do que nossas forças, de que não seremos competentes para atingir os objetivos, de que não conseguiremos sensibilizar os leitores para os nossos argumentos, de que não seremos capazes de entretê-los a ponto de não abandonarem o livro no meio. Especialmente um livro como este, destinado basicamente aos fumantes e cujo objetivo é ajudá-los a parar de fumar.

Mas você que me lê neste momento quer mesmo parar de fumar? Ou acha que deveria parar, mas não está com nenhuma vontade de abandonar esse velho amigo que o acompanha por tantos anos? A diferença é enorme. Achar que deveria parar de fumar corresponde a uma reflexão, a um processo exclusivamente racional; tal processo deriva da indiscutível acumulação de provas acerca dos malefícios do cigarro — tudo que se disser a respeito do cigarro é válido também para o cachimbo e para o charuto. Querer parar de fumar significa que o processo racional já se expandiu para o mundo emocional, para o mundo das vontades. Não estamos mais apenas no pensamento. Já alcançamos aliados no coração, no estômago, por todo o corpo.

Se alguém quer parar de fumar mas ainda fuma, esse desejo — que um dia nasceu do processo racional — ainda é minoria no reino interno das vontades. Os processos que prendem a pessoa ao cigarro ainda são mais fortes. Talvez o jogo já tenha sido mais desequilibrado, mas a vontade de fumar ainda é predominante. Apesar de tudo, quando existe alguma vontade de parar é porque o jogo já está em andamento; achar que deveria parar significa que o jogo ainda nem começou.

Este livro se destina principalmente aos fumantes. Mesmo àqueles que acham ótimo fumar e não têm nenhum tipo de projeto de parar de inspirar sua fumaça rica em nicotina. Não me iludo acerca dos resultados e não gostaria de iludir você também. Os tempos modernos estão cheios de livros — e outros tipos de produto — que prometem a cura milagrosa de todos os males. Este não é mais um dos que seguem essa rota. Não se devem subestimar as dificuldades e os problemas envolvidos nas dependências de todo tipo. Há mais de 25 anos ficou provado o malefício da nicotina — e de outros componentes da fumaça do tabaco — no organismo humano. Inúmeros trabalhos publicados desde 1964 têm sido categóricos em apontar o cigarro como o maior causador de cânceres de pulmão e como importantíssimo coadjuvante nas doenças cardiovasculares, apenas para citar os malefícios mais graves. No Brasil, assim como em todo o mundo, milhares de pessoas morrem diariamente por causa do cigarro.

Ora, se parar de fumar fosse fácil, ninguém mais insistiria nesse velho "hábito". Acontece que milhões de pessoas inteligentes, bem informadas e sem nenhuma tendência suicida não conseguem parar de fumar, mesmo quando os argumentos a favor dessa atitude são inquestionáveis. Ou seja, a aliança que se estabelece entre o homem e o cigarro é extremamente forte e dificílima de ser quebrada. Não padeço nem da ingenuidade e muito menos da má-fé necessárias para lhe fazer uma proposta mágica e simplista a respeito do seu problema, leitor. Sei que se trata de uma questão extremamente difícil e complexa, que você já deve ter tentado várias vezes abandonar o cigarro — ao menos quando estava doente, cheio de catarro no peito e com dificuldades para respirar — e está mais do que ciente da força que o liga a ele.

Ao contrário. Vamos tentar entender, com a maior profundidade possível, a questão dos hábitos e dos chamados vícios. Vamos discutir a questão da dependência física e, principalmente, da dependência psicológica. Vamos conjecturar acerca dos processos psicológicos que estão por trás das dependências que tantas pessoas — quase todas, para falar francamente — têm em relação a substâncias químicas que lhes provocam alguma sensação agradável. Se incluirmos aqui a dependência que muitas pessoas têm do trabalho — tanto assim que, ao se aposentarem, se desesperam e, não raramente, adoecem e morrem — ou do dinheiro, a compulsão de certas pessoas para comer demais, para roubar, para os jogos de azar, para a permanente busca de situações eróticas, para o consumismo e para certos tipos de relacionamento amoroso, podemos dizer que o domínio das dependências psicológicas engloba a todos nós. Se esse raciocínio está correto, evidentemente deveremos buscar a cura para tais processos nas características mais gerais da nossa subjetividade. **As dependências psicológicas, estando presentes em todos nós, não podem ser atribuídas a peculiaridades da vivência de cada pessoa. A história de vida poderá ter influenciado para o surgimento desse ou daquele tipo de hábito ou vício. Mas a tendência para a dependência terá de ser relacionada com os fatores mais gerais e importantes da nossa vida interior.**

É evidente, também, que tentarei não me perder em divagações teóricas, desnecessárias e cansativas. Mas teremos de dedicar certo tempo à compreensão geral das dependências, pois um dos fenômenos mais comuns quando o indivíduo pára de fumar é que ele começa a beber ou a comer muito mais do que fazia anteriormente. Não é raro que ganhe rapidamente vários quilos e atribua esse novo malefício ao fato de ter parado de fumar; nesse caso, é claro que passará a ter um ótimo argumento a favor da volta ao cigarro. A nicotina é um estimulante, e sua subtração deve provocar uma discreta queda no metabolismo. Porém, a maior parte das pessoas que engordam muito depois que largam o cigarro deve essa alteração corpórea a um aumento real da ingestão de comida ou de bebida alcoólica. Substituem um vício pelo outro. Aliás, os alcoólicos, quando param de beber, tendem também a engordar — embora, do ponto de vista metabólico, devesse ser o contrário; afinal, eles "economizam" uma enorme quantidade de calorias contidas no álcool. Só que passam a ser glutões compulsivos, principalmente de doces!

Para mim, a complexidade da questão a torna intrigante e muito fascinante. Ao mesmo tempo, apazigua sentimentos de autodepreciação que vão se acumulando no fumante ao longo dos anos. É terrível para a autoimagem de uma pessoa quando ela se percebe incompetente para se livrar de coisas que lhe fazem mal — ainda mais quando tudo leva a crer que sejam coisas muito simples. São simples para as pessoas que não têm problema específico com aquelas coisas, e são justamente essas pessoas que nos olham com certo ar de superioridade e de desprezo pela nossa fraqueza. Talvez por isso seja muito difícil para um não fumante entender a dramaticidade envolvida no processo de parar de fumar. Ele teria de se lembrar de alguma dependência sua e imaginar a dor que sentiria com a ruptura desse vínculo — com o álcool, o trabalho, o dinheiro, a comida ou o que quer que seja.

A dor envolvida no processo de ruptura de qualquer tipo de dependência é brutal. É dor de morte. Pode ser responsável por terríveis depressões, o que pode levar à rápida e fácil recaída. E aí a auto-estima vai mais para baixo ainda.

Eu me tornei um menino gordo lá pelos 7 anos de idade. Briguei contra o excesso de peso a vida inteira, até que, há alguns anos, consegui me livrar desse problema e também da obsessão ligada ao assunto, coisa que costuma ocorrer após o processo de emagrecimento. Sempre me chamou a atenção o fato de eu não ser capaz de fazer uma dieta direito e até o fim, bem como a incapacidade de manter o peso mínimo atingido. Sempre fui uma pessoa obstinada e determinada, capaz de fazer grandes sacrifícios para atingir meus objetivos. Mas, quanto a esse particular, fui perdedor por várias décadas!

Como a maioria dos homens da minha geração, comecei a beber socialmente na adolescência. Detestava o gosto da bebida, mas não podia me sentir mais por baixo do que já me sentia em relação ao grupo social que eu freqüentava (eu já me achava gordo, feio e antipático). Tanto me esforcei que aprendi a tolerar o gosto de algumas bebidas e a apreciar outras. Ficava eufórico, mais ousado com as moças — e desses efeitos eu gostava muito. Falava um pouco demais e, no dia seguinte, com freqüência me arrependia de algumas das minhas observações da véspera. Além da ressaca física — dor de cabeça e azia —, eu, muitas vezes, tinha a "ressaca moral" derivada daquilo que tinha dito e que me parecia superinconveniente quando voltava a ficar sóbrio. Quando bebia, eu não adormecia — desmaiava. Não me lembro como era o meu adormecer antes, mas, depois que passei a beber com certa freqüência, eu só dormia com facilidade quando bebia; nos outros dias, rolava na cama por bastante tempo antes de conciliar o sono.

Aos 20 e poucos anos, em virtude de contratempos amorosos com os quais sofri muito, comecei a beber diariamente e numa quantidade que hoje considero grande: cerca de seis doses de uísque, tomados desde a hora que o sol se punha até o momento de ir para a cama. Bebi assim por uns dez anos. Parei por uns tempos, justamente quando minha vida sentimental tomou um rumo positivo. Voltei a beber de brincadeira depois de um ano e, em pouco tempo, lá estava eu bebendo todos os dias outra vez. E a coisa não tinha mais nada que ver com a questão sentimental — embora o fato bastante comum de as pessoas começarem a beber mais em virtude de grandes frustrações amorosas sempre tenha me intrigado. Não podemos perder isso de vista — nem o fato de que as crianças começam a engordar com freqüência por volta dos 7 anos —, pois se trata da ponta de um *iceberg* importantíssimo: a correlação entre amor e dependências em geral, um dos pilares da teoria que pretendo desenvolver mais adiante.

Passei a achar que estava bebendo apenas para relaxar e principalmente para adormecer mais facilmente. Com o passar da idade, essa minha dificuldade só piorou. Alguns dias eu não bebia, pois preferia tomar Valium para dormir melhor. De fato, eu já nem sabia por que bebia; só sentia prazer mesmo quando saía para jantar fora e pedia uma garrafa de vinho de boa procedência. Ainda assim, não é fácil precisar o quanto eu gostava de vinho ou o quanto me encantava o charme da situação. Nas festas, o álcool me salvava, pois me tornava mais tolerante com situações e pessoas chatas.

Com o tempo, comecei a acordar de madrugada, cerca de cinco horas depois de adormecer — coisa que acontecia quando eu bebia, e não quando eu tomava o Valium. Achei (e não sei se estava certo ou não) que isso era sinal de uma leve dependência física do álcool; eu acordava no momento em que o teor de álcool no sangue caía para próximo de zero. Minha dependência psíquica da bebida já tinha sido aceita por mim, mas a idéia de ficar fisicamente dependente me apavorou e me fez tomar uma atitude radical: em 1987 parei completamente de beber. Nas primeiras semanas, sofri bastante, mas não por causa da suposta dependência física nem da insônia — pois tomava o Valium para facilitar o adormecer. Sentia falta do copo, do ritual, do charme, da zonzeira que fazia tudo ficar bom e fácil; sentia falta de falar do assunto, de pensar em bebidas; sentia medo das festas chatas e de não ser capaz de freqüentar nem mesmo as que eram "obrigatórias".

Na prática, as coisas foram bem mais fáceis. Apesar de ter bebido por cerca de vinte anos, no segundo ou terceiro mês eu não sentia mais falta do álcool. De vez em quando, tinha saudades de tomar um drinque num lugar sofisticado e caro. Outras vezes, sentia falta do ritual do aperitivo. Fiquei triste, porque freqüentar bares e ficar papeando até de madrugada se tornou desinteressante, assim como a conversa das pessoas depois que bebem além de uma cerveja. As festas grandes são, de fato, muito pouco atraentes para o meu gosto, mas não foi tão difícil participar delas quanto eu pensei que seria. A verdade é que nem me lembro de bebida alcoólica e nunca mais tive grande vontade de beber.

Maconha eu experimentei algumas vezes no fim dos anos 1960 e início dos anos 1970. Não me provocou nenhum efeito nas primeiras vezes. Lembro que uma vez ri muito, mas não tenho certeza se foi para imitar as outras pessoas do grupo. Um dia, fumei uma quantidade maior na hora do almoço e em jejum. Fez efeito. E um efeito horrível: acelerou demais o meu pensamento. Eu não conseguia parar de pensar. Achava que os pensamentos eram "geniais", tentava relembrá-los para poder arquivá-los na memória. Qual o quê! Já tinham ido embora, substituídos por novas idéias "geniais" que tinham o mesmo destino: o esquecimento. Fui ficando em pânico, morrendo de medo de perder o controle sobre mim e enlouquecer. Não via a hora que passasse o efeito da droga, coisa que aconteceu talvez uma hora depois. Nunca mais fumei maconha. Não tendemos a nos apegar a drogas que nos provoquem sensações negativas.

Quando surgiu a moda da cocaína, eu já estava mais velho e experiente. Não mais covarde, como diria um defensor do uso de drogas. É verdade que a experiência com a maconha me deixou apavorado por um bom tempo, inclusive com tendências hipocondríacas que me acompanharam por vários meses. Mas é verdade também que, à medida que fui entendendo melhor o mecanismo da dependência, o meu medo maior não era o de passar mal: era o de adorar o efeito. Eu já me conhecia suficientemente para saber das minhas tendências para estabelecer vínculos fortes com certas drogas. Se eu gostasse muito da cocaína, corria o perigo de me viciar mais uma vez, e daquilo eu não estava precisando. Portanto, nunca experimentei a cocaína. E, hoje em dia, lamento que não tenha feito o mesmo com o cigarro.

* * *

Flávio Gikovate

Não consigo pensar em uma constante maior do que o cigarro em minha vida. Eu deveria ter 6 ou 7 anos de idade quando comecei a me interessar por pegar bituca de cigarro na rua para tentar acender e fumar. Entre 7 e 13 anos fumei esporadicamente, provavelmente sem tragar, os cigarros mais baratos — e por isso mesmo os mais fortes e de fumo menos elaborado. Naquela época, não se conhecia nada sobre os malefícios do tabaco, pois estou falando do período pós-Segunda Guerra Mundial. Os moleques brincavam na rua, mesmo nas cidades "grandes" como São Paulo; eram muito mais "independentes", pois as famílias tinham menos razões para temer pela segurança física e "moral" dos seus filhos. Íamos jogar futebol nos terrenos baldios, e lá também se fumava. Era sinal de ser "grande". Era também fazer alguma coisa errada, ser um contraventor. Lembro de uma vez em que fui pego fumando, acho que sem tragar. Eu tinha uns 10 anos. Meu pai, que era médico pneumologista e fumante inveterado de dois maços de cigarros fortes por dia, ficou muito chocado e me deu o seu castigo mais eficiente: ficou sem falar comigo por não sei quanto tempo. Senti-me um verme, mas não me propus a parar de fumar, pois isso significaria ir contra as normas e condutas da turma de meninos; procurei ser mais discreto para não ser apanhado de novo.

Na infância e na adolescência — e talvez por mais alguns anos, depois que eu já era adulto —, meu pai era indiscutivelmente meu ídolo. É difícil imaginar que eu não fumaria se ele fumava tanto e com tanto gosto.

Flávio Gikovate

Mesmo tendo tido uma experiência muito traumática com o tabaco — fumei um charuto lá pelos 10 anos de idade e passei muito mal fisicamente —, esforcei-me bastante e acho que aos 12 anos eu já era um fumante quase regular e sistemático. A partir da puberdade, meu pai não mais se opôs a que eu fumasse; ele era, em certos aspectos, muito liberal, de sorte que eu era um dos poucos meninos que tinham a liberdade de fumar em casa, na frente dos pais. Isso era muito raro. As famílias não se opunham a que seus filhos fumassem por motivos de saúde, pois, insisto, só em 1964 é que se começou a conhecer os malefícios do tabaco. Os filhos não podiam fumar na frente dos pais por uma questão de respeito! Aliás, pela mesma razão os chamavam de "senhor" e "senhora". É isso mesmo. Respeito! Não tenho a menor idéia de por que fumar na frente dos mais velhos pudesse significar desrespeito, mas eram esses os costumes — e talvez quase todo mundo agisse assim apenas porque tinha aprendido. **De todo modo, sobrava a idéia de que fumar cigarros era uma espécie de privilégio que se adquiria aos poucos e com a idade. Era, pois, um indiscutível símbolo de maturidade e independência — e com uma discreta pitada de contravenção, de coisa feia; tanto assim que não podia ser "feito" diante dos pais.**

Nos anos da adolescência, como não podia deixar de acontecer, minha relação com o cigarro se estreitou, e lá pelos 14 ou 15 anos de idade eu já era um viciado; ou seja, já sofria quando tinha de passar algumas horas ou alguns dias sem poder fumar. Fumei regularmente durante todos os dias da minha vida até o ano de 1979. Eu era estudante de Medicina quando surgiram as primeiras pesquisas relacionando o ato de fumar com câncer de pulmão; depois, ficou evidente a relação entre cigarro e obstruções arteriais precoces. Nada disso me sensibilizava. Parecia que eu não levava a sério tais dados. Tinha ótima saúde e nem tossir muito de manhã eu tossia. Não pensava em parar de dar as minhas baforadas. Fumava feliz cerca de vinte cigarros por dia e, como concessão, passei a fumá-los com filtro.

Meu pai, apesar de sua especialidade, também continuava a fumar. Mas ele passou a fazê-lo envergonhado, coisa que não acontecia comigo. No início dos anos 1970, ele teve uma obstrução arterial na perna, certamente causada por fenômenos de arteriosclerose nos quais o cigarro é importante co-autor. Ele deveria fazer uma operação, uma espécie de ponte venosa parecida com as que hoje são feitas para as artérias coronárias. Ficou com medo. Decidiu primeiro parar de fumar — acho que o fato de já estar envergonhado, mais o medo, foi de grande ajuda para ele — e tentar fazer exercícios mais regularmente. Ele, que não podia andar cinqüenta metros sem ficar exausto, morreu quase dez anos depois (de um tumor intestinal), andando fácil e ininterruptamente mais de dois quilômetros por dia.

Esse episódio, somado à tendência crescente dos médicos de fazer pressão para que todos parássemos de fumar, fez que me tornasse um fumante envergonhado. Em meados dos anos 1970, eu não tinha mais nenhum orgulho de fumar e já sonhava com a indiscutível vantagem física que eu teria, na velhice, se largasse logo o vício. A pressão do meu pai — e de outros colegas que tinham parado de fumar — cresceu muito, de modo que em 1979 parei de fumar cigarros, passei para o cachimbo e então suspendi o uso de todo tipo de tabaco. Parei do mesmo modo que comecei: por pressão do meio (e para ficar em paz com o meu pai).

Fiquei sem fumar por nove meses. Engordei quase quinze quilos. Sofri ininterruptamente de "saudades" do cigarro. É verdade que no início foi bem pior. Primeiro, eu não sabia o que fazer com as mãos; depois, não sabia o que fazer com a boca e chupava balas de menta o dia inteiro. Sonhava com minhas tradicionais "tragadas prolongadas". Estava ficando profundamente deprimido por causa do ganho de peso. Eu era traumatizado pelo fato de ter sido uma criança gorda e um adolescente gordo, e antes de parar de fumar eu estava no meu peso ideal. Do ponto de vista físico, não tinha tido benefício algum, pois minha saúde era boa; para os níveis de exercício que faço desde 1973, não notei diferença em minha disposição depois que parei de fumar.

No segundo semestre de 1979, aconteceram três coisas que me impressionaram bastante. Meu pai adoeceu e morreu em cerca de noventa dias. Ou seja, morre-se também quando se pára de fumar, conforme pensei na época; além do mais, lá se fora o meu mais severo e radical censor. Também passei algum tempo bastante confuso — eu diria até mesmo um pouco deprimido — em virtude das minhas constatações acerca da inferioridade sexual masculina. Foi em outubro desse ano que aconteceu, também, a primeira grande divulgação do meu trabalho e do meu nome: fui o entrevistado do mês da revista *Playboy*, que, na época, era o veículo de maior prestígio no Brasil. A repercussão foi enorme. Senti-me superfeliz e bastante assustado. Afinal, coisa boa também dá medo e nos tira muito do ponto de equilíbrio. Nos primeiros dias de 1980, voltei a fumar. Em pouco tempo, fumava de novo os mesmos vinte cigarros por dia.

Fumei por mais dez anos, já não do mesmo modo: eu sentia muita vergonha. Sabia que havia perdido a batalha para um vício que tinha sido mais forte que a minha razão. Sabia que teria de parar um dia e, conseqüentemente, de passar de novo por aquele tormento brutal. Sabia, sabia, sabia, mas voltei a fumar. Até que, em fevereiro ou março de 1990, comecei a parar, e em abril parei definitivamente. Esse foi o coroamento de um processo de preparação que durou pelo menos dois anos, cujos detalhes vou descrever mais adiante. É evidente também que este livro não é apenas a descrição da minha relação de dependência com o cigarro e de como me livrei dela. No meu consultório, ouço histórias o dia inteiro. Tenho, portanto, muita informação acerca de como as coisas se passaram com as outras pessoas. Se conto com tanta freqüência as minhas experiências, é porque em relação a elas não me sinto obrigado a guardar sigilo. Além do mais, em tantos aspectos minha história é tão banal e comum que serve de padrão para quase todas as outras; gostamos muito de nos sentir originais, únicos e especiais; mas a verdade é que não o somos.

* * *

Desde que decidi, de novo e pela última vez (se Deus ajudar!), parar de fumar, venho estudando tudo que me chega às mãos sobre o tema do tabagismo e das dependências em geral. No que diz respeito às outras formas de vício, a literatura é mais farta do que a que trata apenas do cigarro. Há também alguns trabalhos recentes, extremamente interessantes, acerca da tentativa de fazer uma teoria geral sobre a tendência dos seres humanos de se ligar a objetos, drogas e situações de forma a tornar-se dependentes; ou seja, de forma a se ressentir muitíssimo quando esses elos se rompem. Porém, as teorias gerais são, a meu ver, pouco satisfatórias. Eu não poderia deixar de lado a oportunidade de tentar construir uma hipótese própria, relacionada com outros aspectos gerais da psicologia humana que venho desenvolvendo há mais de trinta anos. Porém, isso fica para a terceira parte desta obra.

Essa introdução ficaria incompleta se eu não reafirmasse o fato de que existe uma tendência, inclusive entre os médicos, de subestimar as dificuldades pelas quais passa um indivíduo que decide parar de fumar. Uma das coisas que, paradoxalmente, ajudam muito a tomar a decisão final é o fato de ficar doente em decorrência da nicotina. Sim, porque nesse caso a interrupção dos cigarros traz consigo um benefício imediato. Se a pessoa está com bronquite crônica intensa, tosse bastante e respira com grande dificuldade, ao parar de fumar experimentará uma grande sensação de bem-estar. Porém, a maioria das pessoas tenta parar de fumar sem esse tipo de reforço positivo. A nicotina é uma droga que provoca malefícios em longuíssimo prazo, às vezes quarenta ou cinqüenta anos depois de iniciado o processo de intoxicação. Por isso mesmo, é um tipo de dependência em que o viciado tende a achar que a medicina está exagerando os efeitos negativos do "hábito" de fumar. Isso é particularmente verdadeiro para nós que nos viciamos antes de serem conhecidos todos os malefícios do uso sistemático do tabaco.

Na verdade, se existe algum exagero, é no sentido contrário. Grandes interesses econômicos, privados e públicos, existem em torno do cigarro em todos os países do mundo; o fenômeno é idêntico no caso das bebidas alcoólicas. Para as indústrias de cigarro e de bebida, seria uma grande felicidade se ficasse provado que as substâncias neles contidas são benéficas à saúde. Essas indústrias estariam dispostas a enormes investimentos para provar essa tese! Elas, e também os governos — por meio dos impostos que arrecadam —, estão, como nós que nos viciamos, em maus lençóis. Aos poucos terão de encontrar outros setores aos quais se dedicar, pois a indústria do tabaco não tem futuro. A sorte deles é que ainda existem muitos milhões de viciados e que a interrupção desse vício é difícil e poderá perdurar algumas décadas. Especialmente se pensarmos que a cada geração surgem jovens com grande disposição de ir contra as regras estabelecidas pela cultura sem muito julgamento crítico. Sim, porque, hoje em dia, um jovem que se dispõe a fumar está cometendo uma grande estupidez. Deve existir uma forma mais inteligente de ser extravagante e excêntrico.

* * *

É antigo o meu interesse pela questão das dependências, especialmente as mais comuns (do álcool e do cigarro). Interessa-me como médico e como pessoa. Aliás, cada vez tenho mais dificuldade de distinguir uma figura da outra. Entender os meus clientes e entender a mim mesmo são coisas simultâneas. Eu diria que fazem parte de um único processo, de um só esforço. Padeço, ou padeci, de quase todas as contradições e conflitos mais usuais, que são exatamente a razão pela qual a maior parte dos clientes me procura. Tive a sorte — ou a competência — de não me deixar atolar pelos conflitos, de não me deixar enredar nas armadilhas da vida. Saí razoavelmente ileso de quase todas as dificuldades nas quais me meti ou fui colocado. Talvez com um pouco mais de cabelos brancos do que gostaria, e também com um pouco menos de cabelos do que quando era moço. Mas aprendi muito, especialmente quando pude associar minhas experiências pessoais a vivências similares em pacientes. Pude ter a dupla informação: a subjetiva e a do observador.

Meus livros são exatamente o fruto desse processo de conhecimento e de aprendizado. Não sou um teórico da vida e da psicologia. Sou um médico que trabalha o dia inteiro; e sou um ser humano típico da minha geração, com dificuldades e conflitos. Tenho boa capacidade de síntese e tenho sido feliz na construção de alguns fundamentos teóricos da nossa subjetividade. Mas é uma teoria que nasce da prática, que tem uma linguagem comum, que tem cheiro de gente! Não é erudição, coisa distante e só penetrável por minorias iniciadas. É a sistematização do que tenho vivido, sentido, observado e concluído nesses mais de quarenta anos de trabalho como psicoterapeuta e nesses mais de sessenta anos de vida.

É por isso que, sempre que possível, minha história pessoal está presente no meu trabalho. Só não é registrada quando se trata de assuntos dos quais entendo apenas por observação de terceiros. Nunca me coloquei como superior, como semideus. Também nunca me senti assim, e há muito tempo que não quero ser mais do que um simples ser humano — o que, aliás, já é bastante difícil.

A vaidade, que já caracterizei como o maior dos nossos vícios, é inerente à nossa condição. Ela nos leva a vários comportamentos até certo ponto ridículos. Mas que fazer? Deus nos fez assim. Só que nada é mais ridículo e lamentável do que a vaidade intelectual. Os seres que se colocam como superiores constroem, sem perceber, uma enorme muralha que os separa dos que estão se relacionando com eles. E, o que é pior, fazem que os interlocutores se sintam por baixo, inferiorizados.

O que podemos pensar de uma situação assim quando o "douto" é um terapeuta e o interlocutor é seu paciente? Que se trata de um "imperativo técnico" próprio de certos tipos de tratamento psicológico em que não se deve facilitar a vida do paciente — ao contrário, devem-se criar condições ideais para que se rompa a sua precária estrutura? Que a fragilidade do terapeuta se esconde por trás dessa atitude de se mostrar perfeito e sobre-humano? Que ele não pretendia provocar tamanho mal aos seus clientes e não entende exatamente por que se sentem tão inferiorizados, tão tensos e infelizes para vir às consultas? Ou que se trata mesmo de má-fé e o objetivo é ter clientes para toda a vida? O mais curioso é que os clientes que se submetem a esse tipo de "tortura" vão ficando com o mesmo "cacoete" dos seus analistas: vão se sentindo também superiores, iniciados num saber raro que os torna especiais, com igual direito àquele olhar de desdém em relação aos míseros mortais.

* * *

O tom de ironia das descrições anteriores denuncia minha opinião: acho tudo isso uma impostura, uma farsa que esconde fragilidade, ignorância e incompe-

tência para relações não desniveladas. **Mesmo quando a teoria psicanalítica "justifica" a atitude, minha opinião é a mesma. A idéia de que é assim que se fazem os trabalhos psicológicos "profundos", e de que um tratamento digno dispensado ao cliente é sinal de estar dando "apoio" e tendo com ele uma conduta mais superficial, só pode fazer sentido em espíritos muito primários.** A superficialidade ou profundidade do trabalho psicológico não depende da técnica utilizada, mas sim de até onde o terapeuta é capaz de ir consigo mesmo na sua análise da condição humana. Depende também, é claro, de qual seja o alcance de cada cliente. E de qual seja o interesse do cliente naquele momento específico da vida. O fato de Freud ter sido um dos pensadores mais lúcidos e profundos que já passaram pela Terra não garante absolutamente nada a respeito de seus sucessores!

Não é de espantar, pois, que a maior parte dessas terapias seja tão malsucedida. Elas reforçam os sentimentos de inferioridade do cliente, tornam o processo penoso — o que não é sinônimo de profundo —, e surge a tendência de abandonar o trabalho logo nos primeiros tempos. Não é para que isso não aconteça que minha atitude é diferente, e sim porque sempre tive uma visão muito prática da psiquiatria. Quero ajudar as pessoas que me procuram, e sempre quis melhorar minha condição interior. Se eu for capaz de encontrar certos caminhos úteis para mim, e se puder constatar que outras pessoas também se beneficiam daquele trajeto de vida, então acho que estamos no caminho certo. Às vezes, acontece o inverso: são os clientes que trazem idéias novas. E eu sempre estive totalmente aberto a tudo que possa ser de valia. Ouço os meus clientes não apenas para "iluminá-los" com alguma interpretação. Ouço também para aprender.

E foi ouvindo um paciente alcoólico que eu, há cerca de trinta anos, fiquei mais familiarizado com os Alcoólicos Anônimos (AA). Esse cliente parou de beber depois de alguns meses de terapia comigo e, certo tempo depois, "confessou" também estar freqüentando as reuniões semanais de um grupo do AA. Confessou envergonhado, pois era assim que as pessoas se sentiam a respeito do AA naquela época. Era coisa subalterna, coisa da parte dos fundos de igrejas da periferia, de classe social baixa. Era essa também a minha visão preconceituosa. É evidente que na faculdade de Medicina — eu estudei numa escola que, na época, era uma das melhores do mundo — jamais se falou sobre esse tipo de trabalho, conduzido por leigos e considerado "charlatanice". Sim, porque tudo que não é feito pelos médicos e endossado pela ciência oficial é tido como tal. Apesar do preconceito, pus-me a ler os livros editados pelo AA, que me foram trazidos pelo cliente citado.

Achei algumas coisas interessantes e outras, não. Na época não entendi por que Deus participava tão "ativamente" do processo de cura. Achei que existiam algumas "sacadas" absolutamente "geniais": a necessidade de ser honesto consigo mesmo e de se conhecer como dependente do álcool; a compreensão de que nesse vício a recaída é facílima e quase inevitável; ou seja, não há cura, e sim abstinência permanente, da qual não se pode cogitar sair nem por um instante; a existência de grupos para ajuda recíproca, sem líder que seja médico ou terapeuta e onde todas as pessoas já passaram por vivências semelhantes — e poderão vir a ter problemas parecidos a qualquer momento. **Compreendi muito rapidamente a importância da solidariedade que se constrói entre pessoas que têm problemas em comum. Entendi o valor terapêutico desse ambiente, inclusive a facilidade de a pessoa "confessar" suas fraquezas e seus vícios a alguém igual — e não superior. Comecei a compreender o peso do aconchego como fator terapêutico. Compreendi por que o AA tinha e tem ótimos resultados (que as instituições médicas só podem invejar).** Hoje entendo por que, em muitos aspectos, tenho resultados terapêuticos similares aos do AA: eu e meus clientes somos feitos da mesma massa.

Talvez seja essa também uma das razões pelas quais gosto tanto de relatar vivências pessoais, quando elas são oportunas e pertinentes: impedem que eu seja "mitificado". Detesto ouvir frases como "É Deus no céu e o doutor Fulano na Terra". Mas há também outra razão para que eu queira tanto me colocar: é uma espécie de compromisso que assumo. Do mesmo modo que jamais engordei depois que escrevi *Deixar de ser gordo* (MG Editores, 2005), espero que este livro me ajude a jamais voltar a fumar! Em certos casos de dependências tão difíceis de ser rompidas, vale qualquer tipo de recurso para chegar a um bom resultado. Aliás, nesse setor, como em todos os outros da vida prática, o que vale é um bom resultado. Teorias que não ajudam as pessoas a chegar onde elas pretendem são estéreis, inúteis e provavelmente falsas.

Hábito, vício, dependência

1
um

Ao começar a me deter mais aprofundadamente no significado das palavras "vício", "dependência", "hábito" e "rituais", entre outras, deparei com mais um importante fator complicador: usamos tais palavras como se soubéssemos defini-las com precisão; não é esse o caso. A ciência, tão pomposa e eloqüente, tem sido negligente com o tema dos vícios — será esse o termo que deveríamos usar para definir determinada forma de ligação de uma pessoa a um objeto? E isso não significa que o problema seja raro. Algum tipo de dependência maior do que o razoável em relação a alguma coisa é algo que provavelmente todos nós temos: cerca de 6% da população mundial é composta por alcoólicos, e 20% da população adulta de todos os países ainda é dependente do cigarro.

Não sabemos como definir hábito. Não sabemos quando deveríamos parar de chamar assim determinada atitude e usar o termo "vício". Não sabemos se ficamos viciados em dada substância por que se estabeleceu algum tipo de dependência física. Não sabemos quais limites definem o território da dependência física e o da dependência psíquica. Sim, porque existe dependência psíquica mesmo em circunstâncias em

que não há produtos químicos envolvidos. Por exemplo, o vício em jogos de azar. Aliás, esse é outro assunto do qual não se sabe nada. Quantas não foram as pessoas que perderam fortunas e arruinaram a carreira por causa do jogo? E como é grande, até hoje, o número de pessoas que dizem que parariam de jogar a qualquer momento, mas são totalmente viciadas nas corridas de cavalos, na roleta ou no pôquer.

Sei que o objetivo deste livro é mais definido e busca essencialmente explicações e soluções para a questão do vício do cigarro. Mas não posso deixar de registrar que temos dado pouca atenção a todos os tipos de dependência, inclusive a certos tipos de vínculo afetivo entre pessoas — em que as semelhanças com o uso de tóxicos são enormes.

Estou usando a palavra "vício" com reservas; às vezes, sinto um grande desgosto por ela ter duplo sentido, pois descreve todo tipo de dependência mais grave que as pessoas desenvolvem em relação a substâncias químicas. Mas ela tem, na nossa língua, uma conotação moral. Quer dizer uma coisa condenável, negativa. Às vezes, me ressinto da inexistência de uma palavra equivalente a *addiction*, que em inglês significa *vício*, mas sem nenhuma conotação moral, sem julgamento de valores. Pensei muito se não seria o caso de iniciarmos o uso de um novo termo aqui, equivalente a *addiction*, que refletisse o acoplamento sem nenhum tipo de julgamento. Pensei em gírias — "ligado", "amarrado" —, mas nenhuma me satisfez, apesar de descreverem essas peculiaridades dos processos de vício. Ou seja, sempre se referem ao estabelecimento de um elo entre uma pessoa e uma droga, um objeto ou uma situação. O termo "droga" está sendo usado aqui com sentido técnico e não com o significado de valor moral. Trata-se de qualquer substância química que os seres humanos ingerem, seja com finalidades terapêuticas, seja para se entorpecer.

Virei, mexi e não achei nada. Decidi continuar usando o termo "vício", mas deixar bem gravada a minha ressalva de que a palavra foi conservada não por causa de um moralismo reprimido em mim, e sim porque não fui capaz de achar outra que a substituísse. **Defino vício como a existência de um vínculo forte unindo um ser humano a uma coisa ou situação.** O exemplo mais claro da existência de uma dependência do homem a uma situação é o caso do jogo; mas há também quem coloque na categoria dos vícios o prazer de roubar, a tendência a se fixar demais em pornografia, em jogos eróticos de conquista, no trabalho etc. Seriam exemplos claros de apego exagerado a "coisas" a dependência de substâncias químicas — cigarro, álcool, maconha, cocaína etc. — e também alguns tipos de compulsão para comer. É quando se usa o termo "vício" de forma ampla que se pode pensar, como muitos pensam, que existe uma *addictive personality* em quase todos nós. Ou, colocando de modo mais próprio: na nossa personalidade normal — usada como sinônimo de comum — é muito fácil o surgimento de vínculos de dependência que nos escravizem e nos limitem. Não existe a necessidade de usarmos o termo *addictive* *personality*, pois ele coincide com nossa personalidade normal. O que interessa é refletir de que forma nossa cultura e a maneira como somos educados nos impulsionam para isso.

A diferença entre o que seja um hábito e um vício parece ser, ao menos em muitos casos, de grau de dependência. Uma pessoa tem o hábito de tomar duas doses de uísque todos os dias quando chega em casa. Porém, se o médico lhe prescreve um tratamento e lhe pede para ficar sem tomar álcool, ele interrompe seu velho e agradável hábito sem grande dificuldade e sem sentir nenhuma falta especial. Se sentir mais falta do que esperava — e esse é muitas vezes o caso —, já estava viciado e não queria admitir. Assim, a palavra "hábito" é freqüentemente usada apenas como disfarce para o vício. Hábito seria uma simpatia, e não uma dependência de uma substância e seus efeitos. Existem, de fato, hábitos ligados a coisas ou situações que geram vício apenas em algumas pessoas. No caso do álcool, a maior parte da população tem o hábito de beber, pois é parte dos ritos de socialização, das comemorações de todo tipo etc. Sempre se começa com o hábito, com a repetição de dada atividade apenas porque ela nos provoca prazer.

É bom que se diga que a nicotina é uma droga com potencial muito maior para viciar do que o álcool. São pouquíssimas as pessoas que fumam "socialmente", ou que o fazem de vez em quando e por prazer — se é que a inspiração da fumaça seja feita com o objetivo de obter prazer. Acredito que isso se deva a dois fatores: o primeiro é que quem não é viciado não só não costuma achar graça nenhuma no cigarro como costuma detestar seu cheiro e gosto — talvez seja diferente para o charuto ou o cachimbo, em virtude do cheiro especial que têm; o segundo é que os efeitos físicos da nicotina são muito mais discretos — e eu diria mais discutíveis — do que os do álcool. No caso do cigarro, salvo poucas exceções, ou o indivíduo é viciado — coisa que acontece com facilidade — ou é contra seu uso. Para se viciar, basta que inale, com regularidade, a fumaça rica em nicotina; isso por algumas semanas ou poucos meses. Depois que isso acontece, se interromper bruscamente o uso do cigarro, sentirá falta dele.

Acho que uma boa forma de distinguirmos hábito de vício é o tamanho da saudade que a ausência nos provoca quando estamos viciados. Posso estar super-habituado a comer doces todo dia. Se tenho uma relação normal com a comida e o médico me pede para que eu não coma coisas com açúcar por certo tempo, posso me ressentir discretamente e, depois de alguns minutos, nem me lembrar do problema. Se sou viciado em comer doces — e isso não é nada raro —, não me conformarei assim fácil; ficarei ansioso, deprimido, tentarei encontrar algum meio de transgredir o combinado, não conseguirei deixar de pensar no assunto, com dor e saudade, um dia sequer. E, quando puder, sairei comendo tudo que me foi subtraído e mais um pouco. A mesma coisa pode ser dita a respeito do álcool. É por isso que sugiro aos que fumam só de vez em quando que deixem de fazê-lo. Pra que correr o risco de perder essa liberdade que têm em relação à nicotina?

Embora os hábitos, quando não cumpridos, não determinem dor maior, são procedimentos incrivelmente estáveis, constantes e difíceis de ser mudados. E temos enorme dificuldade de modificar nossos hábitos mesmo quando desejamos muito fazê-lo. É difícil saber como eles se estabeleceram — alguns, por acaso; outros, por imitação de pessoas com as quais convivemos, e assim por diante. Não temos meios de saber, por hora, por que se cristalizam e se perpetuam com tamanha força, nem por que resistem tanto às mudanças. A verdade é que uma pessoa pode estar querendo muito, por exemplo, passar a comer devagar, mastigando direito os alimentos, só colocando nova porção de comida na boca depois que deglutiu completamente a anterior; enfim, fazer que o bom senso prevaleça, melhorando a digestão e ampliando o tempo do prazer gustativo. Empenha-se racionalmente para que isso aconteça. Inicia a refeição fazendo tudo direito e, aos poucos, sem perceber, vai voltando a fazer exatamente como fazia. Se uma pessoa se habitua a fumar o cigarro de certa maneira, inspirando determinada quantidade de fumaça, expirando pelo nariz etc., terá enorme dificuldade de modificar esse padrão de comportamento.

De todo modo, os hábitos não são graves, pois eles costumam fazer parte de comportamentos não muito maléficos à saúde física ou mental. Se o malefício for maior, podem ser interrompidos com muito pouco sacrifício. São comportamentos constantes que nos definem, nos fazem ter um modo peculiar de ser e de agir. Alguns nos fazem sentir talvez um pouco mais "em casa" no mundo, com a sensação de que temos algum controle sobre as variáveis que nos cercam, de que o mundo é mais previsível do que ele realmente é. É uma espécie de ritual: comportamentos padronizados que esperam respostas padronizadas e provocam uma sensação de apaziguamento, de se estar cercado de coisas conhecidas que respondem adequadamente às nossas ações. Todo ritual tem por objetivo reduzir algum tipo de ansiedade, de risco ou uma sensação de medo. São comportamentos padronizados que se cristalizam porque acreditamos na sua eficácia.

dois

Um aspecto muito significativo e um tanto polêmico é o da importância da dependência física no estabelecimento dos vícios. Antigamente se dizia que o vício correspondia ao uso de drogas que provocassem dependência física e cuja supressão provocasse uma crise de abstinência (no caso do álcool, a crise de abstinência corresponde ao *delirium tremens*). Se houvesse "apenas" dependência psíquica, talvez fosse mais apropriado usar o termo "hábito". Era assim que pensavam os médicos. No caso do alcoolismo, sempre citado porque foi o primeiro tipo de dependência a ser mais bem estudado, os membros do AA (ou seja, os alcoólicos, e não os médicos) rapidamente questionaram essa visão. A dependência física do álcool se resolve em poucos dias ou semanas. Porém, a saudade, a vontade de tomar um trago, de experimentar de novo aquela excitação, aquela euforia, isso não passa a não ser depois de muitos meses ou anos — isso quando passa!

O que ficou mais ou menos evidente é a força da dependência psíquica, o apego que se estabelece entre a pessoa e a substância — ou a situação, nos casos de vícios em que não esteja em jogo nenhuma droga. Se o problema do alcoolismo fosse o da dependência física,

então as internações em hospitais para desintoxicação seriam eficazes. Sim, porque o indivíduo, depois de quinze dias, está livre da dependência física do álcool; só que ele sai da clínica, pára no primeiro bar e toma tudo que lhe aparecer pela frente. Parece até que, quando a privação é imposta, feita à revelia da pessoa, a tendência para reincidir, rápida e dramaticamente, é máxima; e aqui também estamos diante de fenômenos essencialmente psicológicos, nos quais a bioquímica influi pouco ou nada. Aliás, mesmo os mais fanáticos organicistas são obrigados a reconhecer que o principal problema nos vícios é o da dependência psíquica. Admitem a existência de elementos genéticos que predispõem a pessoa para a dependência dessa ou daquela droga. Mas o grande problema é sempre visto como psicológico ou ambiental.

Não se deve subestimar, porém, a importância da dependência física na manutenção e perpetuação do vício. Quando um fumante decide parar de fumar, o primeiro obstáculo que ele terá de enfrentar, algumas horas depois de sua decisão, é a falta que o organismo sente da nicotina e a dependência física que essa substância indiscutivelmente provoca. A pessoa poderá sentir moleza e sonolência, associadas a impaciência e irritabilidade (efeitos paradoxais, próprios dessa substância que é essencialmente estimulante mas também tem efeitos tranqüilizantes). A vontade de fumar será enorme e a tendência para a depressão, brutal. Se a determinação da pessoa não for grande — e estiver muito bem alicerçada em uma série de convicções, como tentaremos mostrar mais adiante —, em pouco tempo ela estará com o cigarro na boca. Dará uma tragada profunda e imediatamente se reencontrará com o seu estado de ânimo "normal" — ou seja, aquele com o qual se habituou a conviver por anos e anos a fio.

Não se deve, por outro lado, superestimar a importância da dependência física. Não é ela que faz que os ex-fumantes sintam saudade da fumaça que inalavam mesmo quando já não fumavam havia anos. Também não se deve atribuir à dependência física a prolongada tendência para a depressão que pode existir em ex-fumantes por períodos de até doze meses; aqui, os aspectos psicológicos ligados à supressão do vício não estão sendo bem compreendidos e aceitos por essas pessoas que, como regra, voltam a fumar por causa disso. Também a substituição de um vício por outro não tem base orgânica. Deveremos procurar as respostas no entendimento mais acurado do que seja o vício do ponto de vista psicológico. Insisto que os aspectos físicos de dependência existem e são importantes na perpetuação do vício de fumar, que eles têm algum peso nos primeiros momentos do processo de interrupção do vício; mas não é esse o maior obstáculo.

O grande obstáculo é a curiosa tendência da nossa espécie de estabelecer vínculos. Vinculamo-nos uns aos outros. Afeiçoamo-nos rapidamente aos animais — e alguns, como é o caso do cachorro, nós corrompemos com a nossa maneira de ser, de sorte que, depois de conviver conosco, os cachorros podem chorar de saudades do dono! Ligamo-nos a objetos. Somos, com freqüência, "apaixonados" pelo nosso carro, pela nossa casa, pelos quadros e tapetes que a decoram. Não podemos viver sem o nosso país e suas comidas típicas. Não podemos passar sem um trago de nossa bebida favorita. Ou então nos apegamos ao cigarro, companheiro inseparável. Busquemos, então, entender melhor essa tendência a construir elos intensos com tudo e com todos.

Só um pouco de teoria

1
um

Não há dúvida de que a nicotina provoca dependência física. Os sinais da ausência de nicotina não são muito previsíveis, variando de um indivíduo para outro. Além do mais, quando a pessoa pára de fumar, também sofre os sintomas da interrupção da dependência psíquica. Isso forma um quadro complexo e de difícil análise. Mas, na verdade, pouco importa se esse ou aquele sintoma se origina na dependência física ou psíquica, uma vez que teremos de ultrapassar os obstáculos de qualquer forma. Minha experiência pessoal, somada ao relato de centenas de pessoas, mostra a nicotina como discreto estimulante e também como discreto tranqüilizante. **Em alguns — como é o meu caso —, predomina o efeito estimulante, e nessas condições a pessoa não tende a fumar mais quando está aflita ou ansiosa. Caso sofra uma crise de abstinência, ficará sonolenta e sem energia. Quando predomina o efeito tranqüilizante, as pessoas tendem a fumar uma quantidade maior de cigarros, em especial quando se sentem pressionadas. Fumam mais durante o trabalho e menos nos fins de semana e férias. Costumam fumar mais quando consomem álcool, pois essa droga em quantidade moderada é excitante, o que aumenta a vontade de ingerir um tranqüilizante.**

Em caso de abstinência, sentirão irritabilidade, nervosismo, taquicardia e insônia.

Apesar de não achar que a questão da dependência física é essencial na grande maioria dos casos de tabagismo, creio que ela funciona como importantíssimo reforçador do vício. Penso que os autores que comparam o poder viciante da heroína com o da nicotina têm toda razão. Praticamente todos os jovens — refiro-me mais aos jovens porque, hoje em dia, são só eles que começam a fumar — que não desenvolverem aversão pelo cigarro desenvolverão o vício por ele.

dois

A partir de agora, discutirei a questão como se a dependência fosse exclusivamente psíquica. Quero dizer que pretendo mais do que informar ao meu leitor. Quero sensibilizá-lo emocionalmente. Gostaria de conseguir ser entendido por todas as partes do seu corpo e não apenas por sua cabeça.

Todo corpo teórico de respeito deve ter coerência interna. Mas isso não basta. Aliás, a coerência é muito perigosa, pois pode sensibilizar o cérebro de leitores jovens e cativá-los apenas em virtude desse equilíbrio interno, desse modo redondo e completo de interpretar dado aspecto da vida. É preciso que explique tudo — ou quase tudo — que se possa observar acerca do assunto que a teoria pretende explicar. Se a quantidade de exceções crescer muito, significa que a teoria está ficando obsoleta e deverá ser substituída por uma nova, mais abrangente. Em geral, a velha teoria se mostra agora como um caso particular da nova. Uma boa teoria deverá também nos permitir prever acontecimentos relacionados com sua área de atuação. Esse é um teste para a teoria, pois é o momento em que ela se confronta com a prática de modo mais indiscutível.

Reafirmo minha posição — óbvia, mas não muito respeitada, ao menos pelas pessoas que atuam na minha

área — de que a prática é soberana à teoria. Ou seja, sempre que uma teoria não se mostrar condizente com o que acontece na realidade, ela deve ser abandonada. Já vi muitas vezes acontecer o contrário. Na psicanálise — como ela é exercida na prática, não como foi pensada e vivida por Freud —, sempre que o cliente não evolui adequadamente, a responsabilidade é dele. A teoria está sempre certa; o paciente é que tem terríveis resistências!

Afirmei, algumas páginas atrás, que alguma tendência para o vício existe em quase todos nós. E o fiz em virtude de ser essa a minha experiência e também por ser o caminho que as pessoas que mais têm refletido sobre a questão estão seguindo atualmente; é um caminho, inclusive, que faz que o vício deixe de ser pensado de modo moralista, como se fosse um tipo de crime. É um desvio de rota, um desvio muito comum e incrivelmente fácil de acontecer em certos períodos da vida. Se quisermos chamar esse desvio de doença, podemos fazê-lo; mas também aí se insere um juízo de valor. Prefiro, pois, chamar a dependência que se estabelece em relação a drogas, objetos ou situações apenas de um desvio de rota, algo possível de acontecer a qualquer um de nós.

Os vícios se transformam, pois, em coisas comuns e, ao menos do ponto de vista estatístico, normais. Portanto, terão de ser calcados por mecanismos psicológicos muito gerais. Não poderão ser atribuídos a causas incomuns, nem serão o subproduto de histórias de vida muito extraordinárias. Poderão se transformar em dificuldades infernalmente difíceis de ser resolvi-

das, capazes de levar o indivíduo à morte — especialmente quando as pessoas se viciam nas drogas mais pesadas. Porém, as causas que determinam o seu início e a tendência para a criação da dependência psicológica deverão ser extremamente banais. E, se a teoria que tenho desenvolvido acerca da nossa subjetividade tem validade, deverá ser perfeitamente suficiente para explicar tudo que é essencial sobre a dependência psíquica que podemos desenvolver em relação a objetos e situações.

três

Voltemos aos nossos dois impulsos básicos: o do amor e o sexual. Sendo óbvio que o estabelecimento de dependência com objetos — especialmente com drogas — não foi criado pela nossa razão, é provável que seja favorecida pela nossa disposição instintiva. Também é verdade que a razão não se opõe devidamente ao uso de certas drogas em determinados períodos da vida, mesmo quando já alertada para os seus malefícios. Nesse sentido, ela é cúmplice, ao menos em decorrência de sua negligência. Nossa cultura só tem se insurgido contra as drogas, especialmente contra o álcool e a nicotina, de muito pouco tempo para cá. Até há pouco, também era cúmplice, em parte por negligência e em parte em virtude dos interesses econômicos em jogo. Além do mais, a dependência, como fenômeno geral, tem sido mais estimulada do que combatida pelas sociedades contemporâneas. Terei a oportunidade de demonstrar isso em breve.

Devemos retomar mais uma vez a questão do amor. Espero não cansar demais os leitores mais assíduos, já familiarizados com meus pontos de vista. Pessoalmente, não me canso de falar e de escrever sobre esse assunto. Parece que, aos poucos, as coisas vão ganhando pureza e transparência crescentes.

Somos gerados numa condição simbiótica. Nossos primeiros registros cerebrais vêm dessa época, do período intra-uterino. São registros de harmonia — ou, pelo menos, de ausência de graves desarmonias. Temos todo o conforto físico, pois não precisamos nos preocupar com comer, beber, respirar, nos cobrir etc. Como o cérebro ainda não registrou experiências extraordinárias, aventuras e emoções fortes, a ausência de desconfortos e de grandes tensões é a emoção agradável por excelência. É a paz. É a harmonia. E é bom. A sensação é de que nada nos falta, o que, aliás, é verdade. Esse longo registro de harmonia, um dia, se interrompe bruscamente.

É o início do processo que nos faz nascer. É a nossa primeira — e talvez a nossa maior — experiência traumática. Não estamos mais protegidos por uma bolsa de água. Temos de respirar, comer, sentir frio, calor, evacuar e urinar e continuar perturbados por nossos excrementos. É um mau negócio, indiscutivelmente! E o pânico? Está expresso no rosto da criança. Impossível ser diferente. Impossível nascer sorrindo, pois está tudo ruim. A situação só melhora um pouco quando a criança é levada para junto da mãe, quando a abraça e é colocada para mamar. Aí ela volta a sentir uma sensação parecida com a do útero, que ficou sendo o padrão de referência de paz e harmonia. Quando está aconchegada pela mãe, ela se sente de novo calma e serena. É, sem dúvida, o seu primeiro grande prazer. Sempre que a criança se sente mal começa a chorar, pois é essa sua reação instintiva. Ela logo percebe que isso faz que ela seja reconduzida ao colo — e, portanto, seja de novo aconchegada. Aprende, mais que depressa, que chorar traz a mãe de volta para perto de si. Passa a chorar quando se sente fisicamente desconfortável e também quando "apenas" quer aconchego.

De uma forma ou de outra, se estabelece a seguinte vivência interior, que nos acompanha por toda a vida: ficar só às vezes pode ser agradável, mas de repente provoca uma sensação ruim; aí precisamos encontrar um meio de nos acoplar a alguém com a finalidade de recuperar a sensação de paz e harmonia. Esse desejo de aproximação com outro ser humano especial é a manifestação do fenômeno amoroso. Amor é o sentimento que o bebê tem pela mãe. É totalmente diverso, e em muitos aspectos antagônico, do instinto sexual — conforme descreverei, de novo, logo adiante. O conceito pode ser ampliado, sem prejuízo de sua essência, para o que A. Koestler chamava de "tendência integrativa do ser humano": o desejo de nos sentirmos parte de algo maior: Por esse caminho, abandonamos a idéia de que o amor romântico é a única possibilidade de expressão amorosa para as pessoas adultas, afora, é claro, o amor que os pais devotam aos filhos.

Nossa tendência integrativa faz que nos sintamos muito aconchegados quando temos um vínculo, por exemplo, com a nossa pátria. Sentimos amor pelo nosso país, pela nossa bandeira, pelo nosso hino. Sentir amor significa sentir paz e serenidade por estar perto desses objetos. Da mesma forma, podemos

nos sentir integrados ao cosmo, sendo a Terra uma parte infinitesimal desse universo e nós, uma partícula do planeta. Essa sensação de ser parte — ainda que minúscula — do universo é, talvez, a essência da experiência mística, daquilo que está na raiz de todas as religiões. Seria o tipo de integração que poderíamos chamar de total.

De forma muito rápida e simplificada, poderíamos dizer que o coração do homem vive oscilando: pode amar a mãe — ou seus substitutos — e depois trocá-la por alguns amigos, que depois serão substituídos por uma moça, que poderá perder o lugar — especialmente em tempos de guerra —para a pátria, e esta poderá ser trocada por Deus. Deus poderá perder espaço para uma nova paixão terrena, e esta talvez seja tumultuada pelo amor que a mulher possa vir a devotar ao filho que tenha nascido como o "fruto de um lindo amor". Nossa tendência integrativa existe sempre, embora compita com uma tendência para a individualidade. Porém, a forma como buscamos a paz e a harmonia próprias da integração é muito variável. Parte dos braços da mãe, passa pelos braços de uma mulher — ou de um homem — e chega até os braços de Deus ou da pátria.

Nos casos descritos, estamos falando de integrações tidas como sadias, embora seja difícil definir o que seja verdadeiramente sadio. **O que interessa registrar aqui é que o apego, a construção de um elo afetivo do homem com um pedaço do planeta, que se define por uma língua, uma bandeira etc., corresponde ao estabeleci-**

mento de um vínculo amoroso com um objeto e não com uma criatura viva. A pátria substitui simbolicamente a figura materna. O que importa é o processo: pode haver substituição simbólica de uma figura humana amada por um objeto. Fazemos com facilidade essa "mágica" e damos "vida" a objetos. Depois, os amamos com fervor. O homem se apega à casa, ao automóvel, a alguns pertences. **Quando uso termos como "se apegar", "construir um elo", "um vínculo", estou me referindo ao surgimento de certa dependência; ou seja, o estado de alma e o humor da pessoa passam a ter algum tipo de relação com o estado do objeto.** O humor de um homem apegado ao seu automóvel dependerá do estado deste último. Se alguém o amassar, isso vai gerar revolta e depressão. Aliás, a dependência se manifesta também nos vínculos que mantemos com outras pessoas. A mãe sofre quando o filho está doente. O marido entra em pânico se a esposa demora para voltar para casa. Não há amor sem dependência, e esta sempre representa risco de sofrimento.

Pessoas com menor capacidade de tolerar sofrimento tendem a amar menos, justamente por causa dos riscos de sofrer. Ou, então, preferirão transferir suas afeições para os objetos, com os quais terão riscos bem menores. Ou tenderão a se apegar a pessoas sobre as quais pensam ter domínio; por exemplo, aos filhos pequenos e dependentes. Farão todo o possível para que eles não cresçam de modo independente. Serão contrárias a todo tipo de autonomia que eles possam vir a demonstrar.

Flávio Gikovate

Farão isso em nome do amor que sentem! E serão absolvidas por uma sociedade pró-dependência como a nossa. **A mãe castra a autonomia do filho, não quer que ele parta para onde é melhor para ele. Mas faz isso "por amor" e, é claro, está mais do que perdoada por sua atitude autoritária. Precisamos melhorar nossa reflexão sobre o tema do amor. Essa palavra tão comovente tem encoberto vários crimes contra os direitos humanos.** Crimes cometidos com total consciência por sofistas que se aproveitam da boa-fé e da ignorância da maior parte das pessoas.

Mas vamos, finalmente, ao ponto que nos interessa aqui. Suponhamos que a tendência para criar vínculos com pessoas seja predominante em muitos de nós. Essas pessoas poderão estar ausentes em determinado momento — ou para sempre —, e as que estão por perto poderão não nos interessar. Ou talvez, em virtude de experiências negativas recentes, estejamos desconfiados e com medo de nos vincular a pessoas. Poderemos tender a nos ligar a outros objetos que não sejam a pátria ou a condições menos vagas do que Deus. Especialmente se esses objetos vierem "coloridos" por atraente embalagem. **Na realidade, poucos são os que conseguem não estabelecer vínculos com pessoas ou objetos. Parece que todo mundo vive procurando esses elos, que serão geradores obrigatórios de dependências. E a sociedade em que vivemos estimula essa busca, tanto a do amor como a do apego a objetos — pois isso interessa e muito ao consumismo voraz.**

Flávio Gikovate

Trata-se, portanto, de uma sociedade que estimula a dependência. Dessa forma, a individualidade, que é o oposto da integração e da dependência, está em segundo plano. O indivíduo individualista — e isso é bastante diferente de ser egoísta, que é óbvia arbitrariedade moral — é alguém menos digno.

O discurso oficial a respeito dessa dupla tendência — para a integração e para a individualidade — é confuso e contraditório. Precisamos ser independentes, mas temos de amar e nos vincular a tudo e a todos. E isso não é possível. Temos, pelo menos intelectualmente, de nos decidir por um caminho como rota principal e deixar o outro em segundo plano. Na política pró-dependência, não é raro que a aparência seja a da independência. Vejamos um exemplo da própria dependência de substância química. **Suponhamos que um homem esteja se sentindo péssimo porque era muito ligado a uma mulher que o traiu, o abandonou. A sensação que ele vive, afora o orgulho ferido, é de brutal desamparo — o oposto do aconchego. Ele se sente só e profundamente desconfiado dos seres humanos, uma vez que acabou de ser traído por uma pessoa na qual confiava. Está só, desamparado, sem condições de se ligar a outros seres humanos. Está sem cabeça para pensar em Deus e na pátria, pronto para tomar vários copos de bebida, para ficar tonto, eufórico e esquecer, ainda que em parte, sua dor. Bebe e se sente melhor, fica melhor sozinho. Dorme e acorda mal. Beberá de novo, buscando aconchego. A conversa fia-**

da do bar, a reunião com outros desamparados e traídos, as músicas que falam de abandono e traição, tudo isso revigora e faz o nosso homem se sentir melhor. No fim de pouco tempo, porém, ele está apegado ao álcool e a tudo que vem junto com ele. Está composto o vício. A independência, a capacidade de ficar só foi pura aparência.

Se uma menina, lá pelos 7 anos de idade, se perceber como tímida e de poucos amigos e, ao mesmo tempo, tiver noção — ainda que inconsciente — de que terá de começar a se afastar dos pais, que esperam um mínimo de independência da parte dela, poderá se sentir extremamente desamparada. A sensação de desamparo geralmente vem acompanhada de uma impressão de buraco no estômago, parecida com a fome. Se ela gosta muito de doces, poderá começar a comê-los em quantias maiores, para ver se agora consegue tapar o buraco que vem do desamparo. Não é difícil perceber que essa menina vai engordar e a comida será sua grande "companheira". Ficará viciada. Sempre que se sentir só, precisará de um chocolate.

A adolescência é um período particularmente interessante do ponto de vista do antagonismo entre integração e individuação. Poucos jovens conseguem resolver direito as contradições que são a essência de sua vida interior nessa fase. Tornam-se, extremamente inseguros e desamparados e não podem demonstrar isso de forma alguma. Tornam-se pois, presa de qualquer coisa que os faça sentir-se bem, sentir

calma, sentir que são importantes e especiais. Aí eles são facilmente introduzidos ao álcool, ao cigarro, à maconha, à cocaína etc. O caminho para se viciarem é tão fácil, e as portas estão tão abertas, que é incrível que existam alguns jovens que conseguem passar incólumes por essa fase. Ao vício do cigarro nos dedicaremos nos próximos capítulos.

quatro

Agora vamos falar um pouco da nossa outra tendência, aquela que nos quer únicos, destacados e independentes. Essa outra face da moeda tem origem, ao menos do ponto de vista dos instintos, no sexual. As primeiras manifestações de prazer erótico são de natureza individual. Descobrimos e estimulamos com satisfação nossas zonas erógenas. No caso do amor, devo insistir, a situação é oposta: descobrimos a sensação prazerosa de paz e harmonia por meio do aconchego com a mãe ou com substitutos desta. Ambas as sensações são prazerosas, por isso tendem a querer se repetir. Ao mesmo tempo, são experiências antagônicas. **A estimulação das zonas erógenas é fenômeno individual, mas é claro que nada impede que se tenha a realização amorosa — com o aconchego — e a troca de carícias eróticas com a mesma pessoa.** Esse é, aliás, o objetivo do amor romântico como nós o louvamos hoje.

Acontece que nossa sexualidade é mais complexa e tem outra faceta, difícil de ser associada ao amor. É a vaidade: o prazer erótico de se exibir, de chamar a atenção e atrair olhares de admiração e de desejo. Esse tipo de prazer sexual difuso — não relacionado com as zonas erógenas — dá sinais de sua existência por volta dos 5 ou 6 anos de idade. Porém, explode durante os anos da puberdade e do início da adolescência. Surge para nunca mais nos abandonar. A vontade de nos destacarmos, de sermos únicos e especiais, diferentes de todos os outros, é enorme, pois só assim conseguiremos chamar a atenção das outras pessoas. Ao mesmo tempo, isso acentua a sensação de desamparo, pois quando tratamos de ser muito diferentes dos outros acabamos por nos sentir extremamente solitários. **É infernal nossa condição: queremos ser destacados, únicos e especiais ao mesmo tempo que queremos nos sentir integrados a todo homogêneo que nos absorve e dilui. Queremos ser diluídos e concentrados ao mesmo tempo!**

Temos tido dificuldade de encontrar soluções inteligentes e harmoniosas para nossa existência. Mas não é apenas por culpa nossa. A coisa é difícil. Aliás, se fosse fácil, já tínhamos resolvido essa questão há muito tempo. Não é à toa, portanto, que acabamos por cometer um amontoado de erros, alguns deles fatais para nossas pretensões de boa qualidade de vida no planeta. **Devo ressaltar outro importante ingrediente que acentua ainda mais nossa tendência para nos deixarmos escravizar pela vaidade: é a consciência, trazida pela razão, da nossa insignificância cósmica. Não suportamos essa verdade e sempre tentamos nos dar um papel significativo no universo. Somos um planeta vagabundo que gira em torno de uma estrela que não é de "primeira grandeza". Somos do "terceiro mundo" tam-**

bém do ponto de vista cósmico! Nossa vaidade fica tão ofendida com a insignificância cósmica que necessita encontrar fórmulas para sermos importantes e especiais, ao menos nas relações com as outras criaturas iguais a nós.

A verdade é que não temos importância nenhuma. Nossa vaidade se ofende brutalmente com isso. E tudo aquilo que nos fizer sentir importantes, ainda que por alguns segundos, será incrivelmente bem-vindo. Qualquer coisa ou situação que nos fizer ter a sensação de que somos especiais e de que todos estão nos fitando e admirando já conta antecipadamente com a nossa simpatia e com a nossa disposição de nos aproximarmos dela. Vamos falar brevemente, a título de exemplo, do que acontece nos chamados jogos de azar — ou de sorte. Um rapaz entra num cassino e, na sua primeira experiência com o jogo, na roleta, ganha uma bolada. Não é nada raro que no início da história dos jogadores exista uma experiência de grande vitória. O indivíduo se sente o máximo, o filho pródigo de Deus, uma criatura abençoada, especial. Sua vaidade pode ficar muito mais alienada do que em qualquer outra situação que antecedeu a esse episódio. A gratificação da vaidade, diga-se de passagem, conta muito mais do que o dinheiro ganho. O que interessa é a sensação de vencedor, de ter controle sobre o imponderável, de ter um vínculo especial com os deuses. Uma pessoa pode ficar totalmente ligada ao jogo, buscando reencontrar essa adorável sensação, a partir de uma única experiência positiva. E dezenas — ou centenas — de experiências negativas não apagam a marca desse "dia histórico", que pode fazer do indivíduo um eterno viciado. Um dia de retumbante vitória pode marcar a trajetória de uma vida recheada de amargas derrotas. É a ironia dos vícios! Sempre se está buscando uma coisa boa e nem sempre é isso que se encontra.

Uma pessoa poderá usar a compra de roupas e objetos de adorno pessoal como uma droga euforizante. Está deprimida. Vai a um *shopping* e compra algumas roupas; imagina quantos olhares atrairá na próxima festa e como isso será agradável para ela; fará com que se sinta especial, superior. Seu estado de humor melhora imediatamente, muitas vezes auxiliado pelo assédio que ela pode receber no próprio *shopping*. No dia seguinte, se persistirem as razões para a depressão, seu estado de humor será esse de novo; a pessoa necessitará cada vez mais de coisas e roupas novas, ficando ainda mais dependente desse tipo de satisfação. **Quase toda propaganda de cigarros e de bebida fazia esse tipo de apelo erótico ligado à vaidade. Você será uma pessoa especial, que despertará desejos irresistíveis nas mais belas mulheres, se fumar tal cigarro ou beber tal uísque.** Será que a propaganda feita para seduzir os rapazes feria o brio igualitário delas e as impulsionava para o cigarro? Ou seja, todo o apelo para sensibilizar os jovens para esses produtos era de natureza tal que estimulava a vaidade do futuro consumidor; é o que podia induzi-los a experimentar o cigarro e as bebidas alcoólicas, além, é claro, da influência da família etc.; é o que poderia influir para que persistissem e se esforçassem para gostar de ambos, pois não se trata de prazeres espontâneos. É preciso insistir para poder "gostar" de inalar fumaça ou ingerir bebidas amargas. Mas quem insistir acabará gostando. E, no caso do cigarro, quem gostar se viciará.

cinco

O desamparo e a insignificância são as duas características mais indigestas da condição humana, de acordo com o que a nossa razão pode detectar. Fomos abandonados aqui pelos deuses, que nos deram inteligência suficiente para percebermos nossa condição. Olhamos para o céu e percebemos quão insignificantes somos do ponto de vista do Universo que nos cerca.

Curiosamente, e por motivos que desconheço, nossas vivências pessoais são também do mesmo tipo: por um lado, precisamos estabelecer vínculos afetivos com pessoas, com a natureza inteira ou uma parte dela (objetos de todo o tipo), para atenuarmos a dor do abandono físico e nos sentirmos aconchegados e em paz. Chamamos de amor o desejo de estabelecermos vínculos estáveis. Por outro lado, precisamos nos sentir importantes, destacados, únicos e especiais, condição na qual nossa vaidade se satisfaz. A vaidade é parte dos fenômenos sexuais, responsáveis pelos prazeres mais importantes relacionados com a individualidade. Além disso, nos dá uma importante sensação de significância em relação aos outros seres humanos, ajudando a neutralizar a insignificância cósmica.

Tenderemos a nos apegar a pessoas, objetos e situações que nos provoquem a sensação de aconche-

go, paz e proteção. Faremos tudo para experimentar de novo — e, se possível, todos os dias — o convívio com as pessoas que nos tornam destacados, importantes. Se uma mesma pessoa, objeto ou situação nos provocar as duas sensações simultaneamente — aconchego e gratificação da vaidade —, estaremos perdidos: nossa tendência para estabelecer uma dependência profunda e sólida será total. Se quem nos provoca as duas sensações é outro ser humano, provavelmente estaremos, em breve, vivendo uma grande e sofrida paixão. Se for um objeto, especialmente algo que contenha substâncias químicas que invadam o nosso organismo e possam provocar sensações também físicas, estaremos diante do início de um vício, de um processo cuja reversão poderá ser um dos maiores desafios da vida.

O vício se inicia de modo erótico

1
um

Tentarei ser mais objetivo e quase só falar do nosso tema, que é o vício de fumar cigarros. Afinal, você quer saber como abandonar esse vício terrível que poderá subtrair vários anos preciosos da sua vida. Nunca perdi de vista esse projeto e essa objetividade. Acontece que as coisas não são tão simples, e quem já tentou parar de fumar sabe disso. Assim, somos obrigados a compreender alguns aspectos da psicologia humana que têm relação direta com os vícios com o objetivo de aumentar nossas chances de sucesso na empreitada de deixar de fumar — e, o que é mais importante, de sermos capazes de esquecer de vez o cigarro.

Quase todas as pessoas viciadas no cigarro se iniciaram durante os anos da adolescência, ou seja, entre os 13 e os 21 anos, aproximadamente. Não é raro que tenham tido as primeiras experiências aos 8 ou 9 anos de idade, meio de brincadeira, para imitar os mais velhos. A iniciação de pessoas mais velhas sempre foi muito incomum; os poucos casos de que tenho notícia foram de mulheres que viviam momentos particularmente dolorosos, especialmente no plano sentimental. **Ainda hoje, existe um grande contingente de jovens se viciando no cigarro e praticamente todos estão na adolescência. A**

grande diferença em relação a algumas décadas atrás é que o número de moças é maior e o de rapazes tende a diminuir. Aos poucos, e sem que se perceba exatamente quais sejam as razões, o vício da nicotina vai se tornando prática mais feminina.

É evidente que começar a fumar hoje em dia é parte de um comportamento bem mais absurdo do que era antigamente, quando não se conheciam os efeitos nocivos da nicotina. Porém, a adolescência corresponde a um período particularmente complexo e difícil, de modo que o bom senso nem sempre prevalece. É a fase da vida na qual a pessoa está mais predisposta a se iniciar em todos os tipos de vício. E tudo vai depender do apego dos jovens ao seu grupo de amigos, e de que grupo é esse! Se a "turma" gostar de fumar maconha, é provável que o adolescente entregue-se a esse vício.

É curioso que os jovens sejam tão sensíveis aos hábitos e condutas do grupo com o qual se relacionam. De onde vem tamanha fragilidade, tamanha carência, tamanha vontade de agradar e de ser aceito? Por que tudo isso é o oposto do que se pode observar em casa, onde parecem querer chocar, aborrecer, e só dão sinais de independência e auto-suficiência? O que é mais verdadeiro: o comportamento dentro de casa ou o que se observa na turma de amigos? Vamos ver se conseguimos esclarecer isso com algumas observações úteis; se não puderem servir para você, que já deve ter bem mais idade — do contrário não seria um viciado querendo parar de fumar! —, talvez contribuam para entender e ajudar seus filhos.

Cigarro: um adeus possível
Flávio Gikovate

Com o surgimento da sexualidade adulta e com as alterações físicas correspondentes à maturidade óssea e muscular, o rapaz toma formas de "gente grande". Terá de ser assim nas atitudes e na vida emocional. Mas que nada! Não está preparado para a independência que ele acha que agora deveria ter. Não tem coragem para nada de diferente daquilo que fazia até há alguns meses. Para falar a verdade, não sabe muito bem o que fazer com aquele novo corpo e com suas novas vontades. Isso é particularmente verdadeiro para as meninas, para quem as condições se modificam de modo mais dramático, que passam a ser olhadas com desejo pelos rapazes. Não é fácil, e não são raras aquelas que se reprimem mais do que o razoável. **Dessa forma, a vontade de ser livre choca-se com o medo da liberdade, de não se sentir tão competente para o autogoverno como exige a condição de adulto.**

Uma parte desse despreparo é inevitável, pois não se pode saber das coisas antes de se passar por elas. Mas outra parte é o subproduto do tipo de educação que nossos filhos vêm recebendo e contra o qual tenho me colocado o tempo todo. Educamos nossos filhos para a dependência. Superprotegemos as crianças; temos sido omissos na tarefa de educá-las com maior energia, de prepará-las para o mundo real que elas terão de enfrentar. As crianças crescem fracas e despreparadas e, de uma hora para outra, esperam-se delas atitudes de independência e autonomia. É evidente que não terão condições de desempenhar à altura seus novos papéis, e é muito provável que se tornem pessoas mentirosas — no sentido de tentarem demonstrar uma força e uma independência que não têm. Poucos serão os que terão coragem de assumir suas incompetências, tanto em relação aos familiares como, principalmente, em relação aos colegas de turma.

Com os colegas a situação é peculiar. Todos se sentem fracos e inseguros, mas tratam de esconder isso a qualquer preço; sabem que estão fingindo, mas pensam que os outros estão sendo sinceros! Aí, então, a coisa fica ainda pior, pois crescem os sentimentos de inferioridade; isso porque, ao se compararem com os outros, sentem-se por baixo. E não pensem que é fácil desmontar esse circo onde todo mundo sai perdendo. Os jovens não acreditam que os outros também estão sendo falsos — talvez porque queiram pensar que só eles são os "espertos", os que são capazes de representar um papel não verdadeiro! Mesmo o líder do grupo raramente é um rapaz — ou moça — muito mais bem estruturado.

De todo modo, os jovens têm de arrumar forças para se sustentar emocionalmente por intermédio do relacionamento com o seu grupo, uma vez que será malvisto se ainda estiver muito bem no relacionamento doméstico. Isso será um sinal evidente de fraqueza e dependência. Por outro lado, ser arrogante, agressivo e displicente em casa denota o empenho de se "desgrudar" dos afetos infantis. É, de certa forma, um sinal de esforço na direção da independência. Talvez seja até mesmo uma manifestação inconsciente de revolta contra a família que não o preparou para aquilo que ele terá de viver daqui para a frente. **Educar as crianças de modo superprotegido e dependente é tornar a crise da adolescência mais difícil. É aumentar terrivelmente os riscos, inclusive de vício em drogas mais pesadas. Se o vício é uma dependência que, em parte pelo menos, vai entrar no lugar de outras dependências, educar para a dependência é educar para o vício!** E não são raros os autores nos Estados Unidos que sugerem que a sociedade — e quero registrar que a educação no Brasil é ainda mais superprotetora do que a norte-americana — é a grande responsável por tamanho número de adolescentes viciados.

2 dois

Mesmo os jovens que tiveram um ambiente familiar sadio e uma educação voltada para a independência experimentam problemas de abandono e sensações de desamparo durante os anos duros da adolescência. Aliás, como regra, são exatamente os ambientes familiares mais sadios os que criam boas condições para uma maior independência dos filhos. Sim, porque se os pais tiverem um bom relacionamento afetivo entre si não precisam de filhos fracos. **Pais infelizes podem superproteger os filhos justamente por medo de perdê-los** — ainda que perdê-los para a vida seja exatamente o que deveria acontecer. **Dirão que fazem isso porque amam muito os filhos. Mas quanto absurdo e quanta maldade podem estar por trás da palavra "amor", especialmente quando ela sai da boca de pessoas intelectualmente desonestas! E o inverso também costuma ocorrer: pais que impulsionam seus filhos para a vida são, às vezes, acusados de ser frios e de não amá-los como deveriam.** A verdade é que, independentemente do que seja o verdadeiro sentido da palavra "amor", aos pais cabe educar os filhos e prepará-los para que sejam o mais felizes possível vida afora.

A adolescência talvez seja o nosso maior desafio no que se refere à crise existencial, pois implica a necessidade de nos tornarmos independentes e a inevitável incompetência que todos temos para isso. Só estaremos mais aptos para nos governar por critérios próprios quando tivermos tido algumas experiências que nos permitam construir um esboço de concepção própria da vida. E também quando estivermos suficientemente fortes para enfrentar certa dose de desamparo, de sorte a não temermos nos opor aos padrões do nosso grupo de referência.

Em virtude de sua pouca experiência e do pavor de rejeição, o adolescente fica dependente dos padrões de comportamento do grupo do qual faz parte. Logo nos primeiros anos da adolescência não tem nenhuma consistência e se molda ao grupo. A partir de certo instante, já tem alguns valores próprios e, então, acontece também o inverso. **Fica bastante evidente, portanto, que a idade de máxima vulnerabilidade para que o jovem sofra a influência do ambiente é entre 13 e 16 anos, aproximadamente. Nessa fase, se a turma for a favor do cigarro, o rapaz ou a moça só não fumarão se detestarem a fumaça ou se passarem muito mal com ela. A mesma coisa acontecerá com o álcool, a maconha, a cocaína etc.**

Alguns adolescentes estabelecem vínculos amorosos intensos já nesses primeiros anos da vida adulta. Nesse caso, sofrem menos a influência do grupo, pois a resolução do desamparo e o pavor da rejeição se voltam para o parceiro amoroso. Aliás, nesses casos, pode-se dizer que o "grupo" é o par romântico. Quando isso acontece, vemos com clareza o processo de substituição da dependência doméstica pela nova dependência amorosa. O jovem pensa que está se tornando mais independente quando arruma uma namorada; na realidade, está apenas mudando de "dono"! Ele perceberá que ainda não é tão forte quando o namoro terminar. Aí estará muito vulnerável, sentindo-se totalmente desamparado e inseguro. Então, estará mais predisposto ainda a viciar-se em alguma droga, especialmente se ela trouxer alívio para a insegurança e o sentimento de inferioridade. Esse não é o caso do cigarro, cujos efeitos psicotrópicos são discretos. Mas é, sem dúvida alguma, o caso do álcool, da maconha ou da cocaína.

O namoro precoce diminui os riscos de vício porque o amor é um bom atenuador do desamparo juvenil. Mas a ruptura dramática de um vínculo amoroso poderá desencadear o processo de se viciar. E isso também vale para o vício do cigarro. Vejam: não estou falando do efeito químico da nicotina; estou falando do aconchego experimentado quando nos sentimos integrados em um grupo, sendo parte de um todo maior que existe, entre outras coisas, porque seus membros têm hábitos em comum. **Assim, quando o rapaz encontra alguns colegas para, juntos, fumarem um cigarro, fica difícil saber se o que querem é fumar ou apenas um pretexto para se sentir juntos, integrados. Mas eles não poderiam se sentir assim sem o cigarro? Penso que não, especialmente se fumar for vivenciado como uma experiência proibida, uma transgressão. Sim, porque**

nesse caso eles estarão unidos por um rótulo comum, porque fazem parte de uma confraria que tem uma bandeira própria.

As carências individuais fazem que os jovens procurem se enturmar. A turma deverá se caracterizar por uma série de hábitos e padrões de comportamento que a definam e a tornem especial. É evidente também que os padrões de conduta não serão criados pelos jovens. Eles imitarão os padrões dos mais velhos, padrões esses sugeridos à sociedade pelos veículos de comunicação e, principalmente, pela propaganda. **E, o que é mais interessante, eles também terão interesse em desenvolver comportamentos que incomodem à sua família. Ou seja, sempre existem, no grupo social geral, objetos, adornos, drogas, roupas etc. que são relativamente malvistos, mas não são proibidos. Eles simbolizam independência, erotismo, irreverência; têm como maior atrativo desagradar os pais. É uma espécie de agressão previamente combinada: os pais não vão gostar, mas os filhos podem agir daquela forma porque precisam expressar sua independência e sua autonomia.** Um exemplo, apenas, de objetos de adorno: os pais odeiam que seus filhos homens usem brinco; os filhos adoram usar brinco porque é um símbolo de liberdade sexual maior e porque irrita os pais; os pais toleram esse comportamento dos filhos e estes se sentem mais independentes e auto-suficientes por isso. Nada muito brilhante. Apenas mais um dos muitos "faz-de-conta" da nossa sociedade.

Flávio Gikovate

Durante muito tempo, o cigarro foi o equivalente do brinco. Os pais fumavam, mas não permitiam que os filhos fizessem o mesmo. E agiam assim quando não se sabia dos malefícios da nicotina; ou seja, não estavam protegendo os filhos contra males de espécie alguma. Quando os filhos fumavam na frente dos adultos, era sinal de desrespeito, de ofensa. Os filhos não se conformavam com a proibição imposta pelos pais, que era sentida como uma grande injustiça, uma arbitrariedade. Transgrediam a proibição e achavam-se independentes por isso. Transgrediam em grupos, o que os fazia sentir-se amparados e com forças para se indispor com a família; isso era grande fator de união do grupo e aproximava os seus membros, que tinham nos adultos o inimigo comum. Um dia, os adultos "descobriam" que os filhos fumavam escondido. Mostravam sinais de reprovação de intensidade variável, mas depois acabavam por aceitar o fato, apesar de o jovem ter transgredido as ordens. Não deixavam, porém, que ele fumasse perto dos familiares. Ele só viria a fumar perto dos pais quando fosse adulto, estivesse casado e com filhos.

Parece que a situação ideal para o adolescente é, pois, ser um *outsider* em relação à família e um *insider* em relação ao seu grupo. Ele tem de ser excluído, rejeitado e recriminado pela família por alguns modos e comportamentos que o diferenciem dela. Esses mesmos modos e comportamentos deverão ser o padrão que define e identifica o grupo de jovens ao qual ele

pertença. O que o exclui da família o inclui no grupo. E o cigarro sempre foi um bom elemento para fazer esse papel, pois sempre foi um vício discretamente proibido! Não é à toa que, até há poucas décadas, só não se viciou no cigarro quem não conseguiu se acostumar às sensações desagradáveis derivadas da inalação de fumaça.

3
três

A partir do surgimento dos impulsos sexuais próprios da idade adulta, a vaidade assume grande importância, de sorte que passa a ser imprescindível para um rapaz e para uma moça chamar a atenção sobre si, atrair olhares de interesse e de admiração. Ora, ninguém poderá se destacar se tiver comportamentos idênticos aos de todo mundo. Terá, portanto, de se esforçar para ser diferente. Terá de contrariar os padrões da família para se afirmar como pessoa independente e para chamar a atenção e se destacar. Se fizer isso de modo radical, sentir-se-á extremamente só, e a sensação de desamparo será um grave complicador capaz de "neutralizar" as agradáveis sensações eróticas derivadas de se sentir único e muito observado. Qual a solução para esse terrível dilema, tão próprio da juventude? A instituição de turmas de adolescentes que "transgridem" as normas da família e constroem as próprias normas. Fazer parte da turma atenua o desamparo. As normas dela são a excentricidade com a qual seus membros se exibem e chamam a atenção. É verdade que a originalidade fica bastante prejudicada, pois todos os membros da turma acabam ficando muito parecidos entre si e isso é o oposto do anseio da vaidade! Mas o que se há de fazer? Os jovens, em geral, não têm fôlego para ir mais longe do que isso.

Assistimos, há alguns anos, a um fenômeno que esclarece, de modo caricatural, o que estou tentando dizer. Foi o surgimento dos punks, jovens que se vestiam e se adornavam de forma extravagante. Porém, eram extremamente parecidos uns com os outros! Eram "bandos" de diferentes idênticos entre si. Tais grupos constroem uma espécie de vaidade coletiva. Sentem orgulho de pertencer àquela "tribo"; acham-se especiais e superiores por agirem daquela forma. Não escondem o desprezo e o desdém que sentem pelos "normais", ou seja, pelos que não são adeptos da mesma maneira de chamar a atenção. Descobriram as "luzes" que os "caretas" ainda nem vislumbraram. Aliás, todos os grupos minoritários funcionam dessa forma arrogante e sustentada pela vaidade. São minorias que têm de continuar sendo minorias, pois se se transformassem em maioria perderiam todo o encanto que deriva da extravagância!

É triste constatarmos como a vaidade, esse desejo de se destacar e se sentir superior, pode nos conduzir a resultados existenciais tão equivocados. Sendo ela a grande mola propulsora da nossa tendência para a individualidade e para a independência, teria, ao menos na teoria, uma função nobre e essencial para o desenvolvimento interior do ser humano. Mas a forma como ela se manifesta na adolescência e a maneira como o meio social, por meio de seus símbolos de sucesso,

influencia nosso modo de ver acabam fazendo da vaidade um instrumento de adesão a certos padrões nem sempre muito inteligentes. Nós, que deveríamos nos orgulhar de nos sentir envaidecidos por sermos capazes de pensar e agir por nossos próprios meios, acabamos por nos sentir superiores por pertencermos a determinada "seita" que se considera uma "casta de eleitos" e de pessoas especiais.

E são "eleitos" ou "especiais" por quê? Porque fumam cigarro e tragam a fumaça, do mesmo modo que faz o ator tal no filme tal! Ou porque bebem certo tipo de drinque, fazendo "caras e bocas" parecidas com o atleta ou o milionário fulano de tal. Ou porque são contra tudo isso e buscam o nirvana, a salvação interior por intermédio da mescalina, do LSD ou da maconha. Ou porque se opõem à sociedade de consumo, que impulsiona as pessoas para o uso dessa ou daquela roupa, e usam roupas totalmente diferentes, mas que também deverão ser consumidas. Ou, então, porque se recusam a agir de modo assim materialista e se dedicam única e exclusivamente às coisas espirituais — engajados em alguma seita religiosa organizada que propõe a salvação das almas por meio da renúncia e do sacrifício.

Assim, quando um rapaz de 13 ou 14 anos de idade acende um cigarro e se empenha por suportar bem o efeito físico das "tragadas", ele se sente totalmente erotizado, pois está inteiramente submetido aos efeitos da vaidade. A sensação erótica é difusa, diferente do que acontece quando o desejo sexual deriva da existência de uma figura externa atraente. Nesse caso, surge a ereção, ou a tendência para que isso aconteça. **No caso da vaidade, não há ereção, mas uma espécie de "calafrio" generalizado que faz que o indivíduo se sinta muito feliz e estimulado. Ele tem a sensação de que todos estão olhando para ele, admiram-no e desejam-no. E tudo porque ele está com um cigarro na mão! Ele se sente diferente porque está fumando, e mais especial ainda porque está fumando aquela determinada marca de cigarro.** Parece que, de repente, ele se esquece de que existem dezenas de milhões de fumantes e de que será difícil para ele chamar a atenção das pessoas pelo fato de estar com o cigarro na boca. **Mas a vaidade é assim. Qualquer objeto novo que passe a nos acompanhar, que fique próximo de nosso corpo ou sobre ele e seja valorizado socialmente como símbolo de coisa superior nos provoca uma sensação erótica agradável. E, porque a sensação é agradável, é lógico que o indivíduo tenderá a repetir aquela situação.**

No caso dos rapazes, a sensação erótica deriva também de se exibir como pessoas que já são adultas. É provável que exista um processo semelhante entre as moças, mas delas tratarei em breve. Existem adolescentes com grande vontade de parecer adultos, e outros até meio tristes pelo fato de não poderem continuar a ser crianças para sempre. As razões para essas duas atitudes são várias e não cabe aqui dissecá-las; elas vão desde a qualidade de vida infantil que cada um teve até o tipo de espírito e de vontade de aventuras/novidades com que cada cérebro sonhou. **Sendo o fumar cigarros um símbolo do procedimento de adultos, é claro que os que têm grande vontade de logo passar para esse outro estágio da vida tenderão mais a se viciar. Os que prefeririam ser crianças para sempre deverão ter aversão ao cigarro. Sem que se perceba bem, gostar de fumar passa a significar exercício dos prazeres da vida adulta. Passa a ser um símbolo de "maturidade".** Talvez esse seja um importante ingrediente gerador da sensação erótica da vaidade. Pelo simples fato de fumar o rapaz já se sente mais adulto e percebe que o olham dessa forma; e adora ser olhado — ou achar que isso está acontecendo — dessa forma.

A maior frustração dos moços é não ser desejados pelas moças do mesmo modo que as desejam. Gostariam de andar pela rua e receber olhares semelhantes àqueles que dão. Gostariam de receber sinais — frases elogiosas ou eróticas, ruídos insinuadores de desejo etc. — similares àqueles que emitem. Mas que nada. Passam pela rua e parecem não ser nem sequer notados. Se algumas moças olham para eles, é para verificar se estão sendo olhadas por eles. Percebem também que os rapazes mais velhos, que estão cursando o colegial ou a universidade, já têm automóvel ou se destacaram de alguma forma nos esportes ou outro tipo de atividade valorizada pelas moças, despertam mais interesse. Elas comentam coisas sobre eles e elogiam sua aparência ou suas aptidões. É evidente que, aos mais jovens, passa a interessar qualquer coisa que os faça parecer mais velhos, pois assim chegará mais rápido o tempo em que serão interessantes para as moças que lhes despertam o desejo sexual e os devaneios românticos.

Essa é uma das razões pelas quais acho que o número de rapazes que não têm interesse em se tornar adultos logo é menor do que o de moças. Para eles, continuar "criança" implica grande frustração sexual. Ora, se fumar cigarros for símbolo de já ser adulto, mais velho e mais "maduro", então fumar e soltar longas baforadas passa a ser um símbolo de sucesso com as moças. Fumar passa a ser, pois, um símbolo erótico. Significa já estar em condições de abordar as moças com maior chance de sucesso. E, se as moças também pensarem dessa forma, esse absurdo passa a ser verdade na vida prática. Quem não fumar não terá chances com as mulheres!

Para os rapazes, fumar é sinal de virilidade. É evidente que estamos falando de alguns anos atrás, pois hoje em dia a divulgação dos malefícios da nicotina é muito mais eficiente. **Para algumas moças, não fumar é símbolo de recato e de pureza sexual. Mas, para outras, fumar é sinal de emancipação, independência e maior coragem para as aventuras eróticas. É como se existissem dois modos de ser adulta: um mais recatado e conservador e outro mais irreverente e ousado.** Tudo que estou afirmando tem forte conotação sexual, apesar de não simbolizar apenas esse aspecto da vida. A moça mais recatada é a que está mais de acordo com os papéis femininos tradicionais: mais voltada para a maternidade, para as atividades domésticas, para uma visão romântica da vida e do casamento. A mais ousada sonha com realização profissional, com emancipação econômica e sexual e coloca a vida afetiva em um plano secundário.

É fato que estamos convivendo, hoje em dia, com esses dois modos de ser femininos, parte final do processo de emancipação e de igualdade entre homens e mulheres. Ainda é cedo para podermos afirmar como serão as mulheres no futuro, mas creio que existirão muitos modos distintos de ser homem e mulher. Creio que a heterogeneidade predominará sobre as tendências homogeneizadoras que sempre nortearam a vida social e os comportamentos humanos. Porém, neste exato instante, o cigarro representa um símbolo erótico e de emancipação para muitas moças, de tal sorte que são elas que mais freqüentemente têm se iniciado nesse terrível vício durante os anos da adolescência. Isso nas classes sociais mais esclarecidas, pois em classes mais baixas ainda são os rapazes que mais freqüentemente se iniciam. É como se fumar as fizesse sentir-se sexualmente mais livres e numa condição de igualdade social com os homens. A idéia de igualdade sempre me pareceu ótima. O que não tem sentido é as moças usarem os símbolos e as maneiras "masculinas" como modo de atingir objetivo tão importante e tão nobre.

4
quatro

Um importante argumento que se usa com freqüência na mocidade é que não se deve recusar a experiência do que é novo, pois isso seria uma grande covardia. A pessoa não deveria ser contra o uso de uma droga sem que primeiro a experimentasse e soubesse se lhe agrada ou não. É evidente que estão falando apenas dos efeitos positivos daquela substância, sem levar em conta seus malefícios nem seu poder viciante. De todo modo, a idéia de que temos de experimentar tudo que de novo aparece não é tão lógica como pode parecer aos ouvidos juvenis. **É muito interessante que se tenha curiosidade e se queira fazer experiências pessoais para formar juízos próprios acerca das novidades. Mas tudo depende do grau de periculosidade envolvido em determinada experiência, e também das informações que se possa ter a esse respeito, consultando outras pessoas.** É muito legal gostar de fazer as próprias experiências. Mas é muito importante também poder ouvir a respeito das experiências que outras pessoas já fizeram e quais foram os seus resultados. **Sabemos, por exemplo, que compartilhar seringas e agulhas pode transmitir o vírus da aids; não é necessário testar isso mais uma vez!**

E não cabe continuarmos indefinidamente tolerantes diante da prepotência juvenil que diria: "Eu posso usar essa seringa, pois é evidente que a contaminação não vai acontecer justamente comigo!"

Sou um grande defensor da curiosidade, da vontade de experimentar e de saber. Mas as pessoas devem ser alertadas para os malefícios que podem derivar de dada experiência. O cigarro, por exemplo, provoca, em função de seu uso regular e prolongado, vários tipos de doenças pulmonares e cardiocirculatórias. Não adianta citarmos alguns exemplos de pessoas que fumaram sempre e nunca tiveram nenhum tipo de prejuízo em virtude do cigarro. Essas pessoas existem, mas são minoria. É incontestável que o cigarro aumenta a chance de termos moléstias sérias prematuramente. Além do fato, incontestável, de que a nicotina provoca, rapidamente, uma importante dependência física. Eu não saberia afirmar exatamente quais são os efeitos positivos da nicotina; eles são evidentes apenas nas primeiras experiências com o cigarro: zonzeira, certa náusea, um pouco de excitação e talvez euforia. Mas são muito claros os sinais que derivam da falta de nicotina no corpo: uma vontade enorme de fumar o mais rápido possível, irritabilidade, nervosismo e agressividade, insônia e uma inquietação brutal. Não estamos, portanto, diante de uma situação banal e de fácil solução. **Não cabe, no caso do cigarro, a idéia de que é preciso experimentar e formar os próprios julgamentos a respeito dos seus efeitos. Estamos perante uma droga perigosa,**

Cigarro: um adeus possível
Flávio Gikovate

que vicia e pode matar. Estamos diante de uma situação mais do que testada e de resultados negativos mais do que provados. Precisamos ajudar os jovens a jamais chegar perto do cigarro.

O vício se perpetua
por motivos românticos

1
um

O rapaz se sente mais bonito, mais adulto e em melhores condições para a disputa erótica pelas moças mais atraentes quando está com um cigarro na mão. A moça se sente mais adulta, mais liberada e mais sensual desde que seja uma fumante. Por sentir mesmo tudo isso, empenham-se tanto em vencer os obstáculos iniciais que encontram para se habituar à inalação de fumaça — tosse, zonzeira e náusea para além do agradável, vermelhidão nos olhos etc. O resultado parece valer a pena. **Os jovens sentem-se ótimos com esse resultado, que fica terrivelmente associado à presença do cigarro. Este se transforma no símbolo do máximo da maturidade e do erotismo. Estar sem cigarros significa ser criança e estar nu! O cigarro passa a equivaler ao espinafre do Popeye, aos cabelos do Sansão, ao cobertor do Linus. A força, a sensação de importância e de valor se associam a esse pequeno cilindro branco que solta fumaça de cheiro duvidoso e provoca, quando inalada, sensações duvidosas.** Não deixa de ser curioso e fascinante percorrer os caminhos da mente humana. O fato é que se estabelece uma importante associação, e esse objeto, para tantos neutro, passa a ter importantes e dramáticos significados para um fumante regular.

E, como vimos, esse não é absolutamente o único ângulo de monta e de peso relevante. O fato de ser uma atividade "discretamente proibida" faz que seja um importante símbolo de emancipação da família. Porque isso provoca a sensação de desamparo, surge a tendência a que jovens em situação equivalente — fumantes recém-iniciados nessa prática — unam-se em grupos. Nesses grupos, o cigarro é um dos pontos que os membros têm em comum, de sorte que o símbolo de ruptura com a família é também o símbolo da nova união entre iguais. **Dessa união, surge uma experiência de aconchego independente da família; é talvez a primeira vez que o jovem sente-se protegido e amparado por pessoas da mesma faixa etária que não são parentes. Surge uma dependência do grupo, que passa a ser a nova "família" dos jovens.** E, também desse ângulo, vai havendo uma associação entre certas sensações que o grupo determina no jovem e a presença do cigarro.

Essa transferência de sensações ou de respostas psicológicas de uma situação para outra, de uma pessoa para um objeto ou de um objeto para outro, é perfeitamente possível em virtude dos nossos processos fisiológicos e corresponde ao estabelecimento de reflexos condicionados: a simples presença de determinado objeto já evoca uma série de emoções que, no passado, se associaram a ele. Ou seja, voltando ao que nos interessa: o cigarro, ao ser acendido, poderá provocar uma sensação de aconchego e amparo. Sua presença poderá evocar as emoções que o grupo provoca no rapaz; isto é, ele poderá se sentir menos solitário e menos ansioso. **A partir de determinado ponto, a partir de certo tempo de uso regular do cigarro, essa sensação de proteção poderá ficar de tal forma associada ao cigarro que a tendência a acender um deles crescerá diante de qualquer pequena adversidade externa.**

Qualquer sensação de insegurança se apazigua com a presença do cigarro e sua fumaça mágica. O futuro pai que espera a esposa grávida sair da sala de parto só consegue suportar a tensão e as incertezas porque acende um cigarro no outro. Durante as provas que poderão decidir o futuro profissional de uma pessoa, ela fumará desbragadamente. O rapaz que está inseguro diante da iminente aproximação sexual com uma mulher que o intimida encontra no cigarro um suporte extraordinário. As mais dolorosas sensações de ameaça, a expectativa de notícias decisivas, o resultado de testes vitais, tudo isso é mais bem suportado desde que se tenha um cigarro na mão ou na boca.

Com o passar do tempo, a dependência psíquica mais emocional, ligada à atenuação do desamparo, se estende para o maço do cigarro, para o isqueiro — que se torna uma peça de estimação — e também para a marca de cigarros. **As pessoas se apegam a determinada marca não apenas em virtude do sabor ou cheiro peculiar que a defina (se é que isso existe de fato), mas também em virtude dos processos de condicionamento que vão se associando àqueles símbolos. Quando as pessoas viajam para** outros países, gostam de levar os seus cigarros, sua marca tradicional com a embalagem mais que conhecida.

Como se não bastasse o fato de a pessoa se sentir forte, importante, aconchegada e amparada pela presença do cigarro — sendo estes os fatores que determinam a dependência psíquica —, ainda por cima a nicotina provoca dependência física. Esta faz que a interrupção do uso do cigarro por algumas horas determine uma forte reação de necessidade da droga, que nasce do organismo, independentemente dos fatores psicológicos já apontados. Em outras palavras, uma pessoa poderá estar perfeitamente aconchegada nos braços do seu amor, sentindo-se a maior e mais importante das criaturas justamente em virtude de se saber amada pela pessoa eleita, e nem por isso desaparecerá a vontade de fumar. Esse aspecto é extremamente importante, pois a dependência física faz que haja uma tendência para a perpetuação da ligação com o cigarro, quaisquer que sejam as condições psicológicas posteriores da pessoa. Se o indivíduo tem a idéia de abandonar o cigarro e está em condições emocionais adequadas para isso, ainda assim enfrentará enormes dificuldades, pois a dor física derivada do não fumar lhe dará a impressão de que não pode viver sem o cigarro, mesmo quando ele pensou estar pronto para isso. Voltarei a esse assunto no capítulo VII, "Os primeiros tempos sem o cigarro".

Percebe-se, pois, que o cigarro nos ata por todos os lados: o erótico, o afetivo e o bioquímico! Essa gama de dependências explica por que cada pessoa relata um tipo de efeito psíquico como derivado da ingestão da nicotina.

Flávio Gikovate

Para uns, a sensação principal é de apaziguamento. Para outros, o efeito é mais estimulante. Outros não relatam efeito de espécie alguma. Uns afirmam, por exemplo, que perdem a fome ao fumar muito, ao passo que outros não relacionam o cigarro com o apetite. Algumas pessoas dizem que são incapazes de evacuar sem um cigarro na mão. Não se pode, com facilidade, saber o que são efeitos bioquímicos e o que são condicionamentos. Tomar café, fumar um cigarro e ir ao banheiro para evacuar faz parte do ritual de muitas pessoas, de modo que é minha impressão que o efeito aqui é mais de condicionamento (do mesmo modo, aliás, como algumas outras pessoas só conseguem evacuar quando estão lendo alguma coisa).

Penso que a nicotina é essencialmente um estimulante discreto, determinando inclusive um pequeno aumento do metabolismo, da freqüência cardíaca e tirando um pouco o sono. Muitas das pessoas que fumam muito, especialmente à noite, têm dificuldade de conciliar o sono. Esse fato é similar ao relatado por outras pessoas a respeito da cafeína. Todos os outros efeitos atribuídos ao cigarro devem-se, desse ponto de vista, mais a condicionamentos do que a fatores de ordem química, inclusive os supostos efeitos tranqüilizantes. Agora, as desagradáveis sensações, já descritas, referentes à subtração da nicotina por um tempo maior do que algumas horas, são inequívocas e indiscutivelmente relacionadas com a dependência física que se estabelece na relação entre nosso organismo e a nicotina.

dois

Os meses e anos de uso regular do cigarro vão passando e algumas coisas acontecem em relação aos fatores que apontei acima. Uma delas é que o caráter erótico e o sentimento de superioridade ligados ao ato de fumar vão perdendo importância. À medida que a pessoa supera a adolescência e penetra mais firmemente na fase adulta, ela vai assumindo uma atitude crítica com relação ao cigarro como símbolo erótico de qualquer tipo. Ainda mais hoje em dia, quando existe uma boa dose de propaganda (e de "vigilância") contra o cigarro. Além do mais, fica cada vez mais claro o absurdo desse tipo de condicionamento e seu caráter ideológico. Alguns fumantes podem até ficar indignados, tendo a impressão, verdadeira, de que caíram no conto-do-vigário.

O outro aspecto, mais ou menos óbvio, é o de que a dependência física da nicotina cresce bastante. Com o uso regular do cigarro, o organismo passa a depender cada vez mais dessa substância. Assim como acontece com as outras drogas, existe também uma tendência a que a quantidade de cigarros fumados seja crescente; isso acontece até que se atinja um ponto de saturação, que varia extremamente de pessoa para pessoa. E é nessa quantidade diária de cigarros, em geral entre dez e sessenta, que a pessoa costuma se manter por vários anos, até que alguma coisa de importância maior — física ou psicológica — a obrigue a rever seu posicionamento em relação ao vício de fumar.

O aspecto do fumar relacionado com o sentir-se aconchegado e amparado cresce bastante e afasta-se do fumar relacionado com a erotização. **Ou seja, cada vez mais o cigarro deixa de ter conotações sexuais e ganha matizes românticos extremamente fortes. Ouvi, de várias pessoas, frases do tipo: "Largar o cigarro? Impossível. É o meu maior companheiro". Ou seja, estabelece-se uma relação cada vez mais estreita entre a pessoa e o cigarro. A criatura não pode mais viver sem ele, do mesmo modo que acha que não poderia viver sem alguém por quem estivesse apaixonada.** A ausência do cigarro provoca uma dor semelhante à saudade — entre outras — e surge uma forte tendência a que a pessoa se previna contra qualquer tipo de eventualidade em que o cigarro poderia faltar, o que inclui o armazenamento de provisão suficiente para vários dias. A idéia de ficar sem o cigarro determina a sensação de pânico, insegurança e desamparo. A dependência romântica é cada vez maior, pois a repetição de rituais e o prolongamento do tempo de convívio só provocam um estreitamento cada vez maior dos elos entre o indivíduo e o seu "objeto de estimação".

É interessante compreendermos bem esse processo, pois ele está na raiz das dependências psicológicas de longa duração, além de justificar a tendência contemporânea de definir o vício como o estabelecimento de um vínculo emocional entre uma pessoa e um objeto ou situação. Dentro do raciocínio que estamos desenvolvendo aqui, fica evidente que o objeto pelo qual se desenvolve o apego sentimental representa um ser humano ou um grupo de pessoas e passou a ser o substituto e representante deles. **O rapaz era apegado ao grupo de jovens que fumava e depois se ligou ao cigarro porque este lhe transmitia as sensações que antes experimentava quando estava com o grupo. Um reflexo condicionado foi o responsável por essa transferência, que atribuiu ao objeto "poderes" que ele só pode ter porque representa criaturas reais.**

Estamos partindo de um princípio, duvidoso, de que o vício corresponde ao elo com objetos ou situações. Ou seja, de que elos fortes entre seres humanos não devem ser pensados como vícios, ainda que a dependência psíquica se estabeleça da mesma forma e com igual gravidade. Porém, não cabe aqui discutir se certos tipos de ligação amorosa entre pessoas também não deveriam ser considerados vícios. É assunto que fica para outra oportunidade e só foi citado para esclarecer porque, desde 1975, eu e alguns outros autores temos relacionado a paixão com as toxicomanias e mostrado seus pontos em comum.

Nada esclarece melhor o vínculo afetivo de uma pessoa com um objeto do que aquilo que aprendi recentemente com um amigo querido, profundo conhecedor, ao vivo, dos vícios — hoje totalmente abstêmio. Ele me dis-

Cigarro: um adeus possível

Flávio Gikovate

se: "Estou convencido de que o primeiro vício de todos nós é a chupeta". E é provável que ele tenha toda razão! A chupeta substitui o seio e a figura da mãe; quando a criança se sente insegura e desamparada, começa a chorar, esperando que seja recolocada próxima da mãe. Se ela não estiver disposta, ou não estiver por perto, a chupeta será enfiada na boca da criança, que a sugará vorazmente. A repetição desse ato instintivo, ligado à amamentação, poderá trazer, depois de algum tempo, um grande alívio à criança. Ela poderá sentir-se aconchegada apenas por estar repetindo o gesto original de sucção. E, então, a criança estabelecerá um vínculo afetivo com a chupeta. Esta será sua maior amiga, parceira de todas as horas. Precisará cada vez menos da mãe, desde que tenha a chupeta por perto. E todos sabemos como será difícil para a criança, anos depois, ter de se separar da sua "companheira" querida.

Cabe considerarmos a hipótese de que a introdução da chupeta na infância abra o caminho para outras futuras substituições e para que objetos tenham uma significação tão importante a ponto de nos tornarmos dependentes deles. Aliás, a forte dependência de objetos ou situações talvez seja a definição correta do vício. A chupeta torna, também, a região da boca uma área particularmente sensível aos vícios, uma vez que, na primeira infância, a maior fonte de atenuação do desamparo era a sucção do seio e esse ato foi o primeiro a ser substituído. Talvez isso explique por que os seres humanos são tão irrequietos com a boca, por que objetos

Flávio Gikovate

como o cigarro, o cachimbo ou o charuto tenham sido sempre tão atraentes para a nossa espécie. Talvez explique, inclusive, o enorme contingente de pessoas que não sabe viver sem gomas-de-mascar! E ainda pode explicar por que é tão freqüente que o ex-fumante se torne um grande consumidor delas.

3
três

O cigarro passa, portanto, a ser um "companheiro inseparável" da pessoa, que não pode mais imaginar a vida sem ele. E tem de ser aquele tipo especial de cigarro, daquele comprimento, com a embalagem daquela cor, com aquele tipo de filtro etc. Afinal, são anos convivendo cotidianamente com esses objetos. Eles já são parte integrante das mãos daquela pessoa – que não poderá sair de casa sem um maço cheio no bolso e, se tiver poucos cigarros, ficará aflita e buscará avidamente um bar aberto para poder comprar mais. Essa pessoa se sente segura e amparada com o cigarro por perto, e em pânico e ameaçada se ele não estiver à mão. Em certas horas, mesmo sem ter nenhuma razão psicológica para fumar, o organismo pede um pouco de nicotina, pois o corpo também não sabe mais viver bem sem essa substância. **Em uma frase: o indivíduo está completamente viciado no cigarro — dependência psíquica — e na nicotina — dependência física.**

    E de nada adianta tentar dissimular o vício. Aliás, **para dizer a verdade, esse é um dos sinais mais característicos do próprio vício.** O alcoólico insiste em dizer que pode parar de beber quando quiser. Só que nunca chega o dia em que ele decide fazê-lo. O fumante gosta de dizer que é apenas o hábito que o prende ao cigarro, que não pára de fumar porque adora fazer isso — talvez seja verdade, em muitos casos, que exista esse prazer em fumar; mas o não parar não depende apenas de gostar de inalar a fumaça. Essa minimização do poder da dependência, associada ao elogio à droga e ao prazer que ela determina, costuma fazer parte das racionalizações mais comuns desenvolvidas pelos viciados. É claro que eles podem tentar enganar a si mesmos; mas, na verdade, sabem que estão sendo insinceros e querem apenas apaziguar os interlocutores, para ver se não são tão severamente censurados por eles.

Outra característica dos vícios em geral, também presente no tabagismo, é a tendência do viciado de mentir a respeito da quantidade de droga que ele ingere por dia. É parte do esforço de minimizar sua dependência e evitar as críticas ou atitudes mais radicais que poderiam vir das pessoas mais íntimas que estejam preocupadas com os desdobramentos em longo prazo do vício. O viciado, com o intuito de defender e melhorar sua posição social, poderá, pois, vir a mentir com facilidade. E isso poderá acontecer mesmo com pessoas da maior integridade e austeridade de caráter. Será uma prova evidente da força do vício e de como a razão sucumbiu totalmente ao desejo que deriva dele; e também de que esse desejo é de uma natureza autoritária e imperativa mesmo em pessoas que não se comportam dessa maneira em relação aos outros temas da vida.

Flávio Gikovate

Esse aspecto é fundamental para compreendermos o significado do vício. É quando perdemos completamente o domínio da nossa relação com determinada droga que estamos viciados. Talvez não gostemos de ver as coisas dessa forma e tratemos de esconder de nós mesmos essa verdade. Mas todos já ouvimos histórias dramáticas e tristíssimas de homens íntegros e honrados que, não tolerando a restrição médica imposta ao cigarro, tentaram subornar o enfermeiro do hospital para se trancar no banheiro e dar algumas tragadas logo após a cirurgia grave. Ora, esse tipo de vício é absolutamente idêntico ao das mais severas drogas. A única diferença é que a nicotina tem efeitos mais suaves e seus malefícios só aparecem após vários anos de uso.

A nicotina não leva à ruína a vida do viciado, como costuma acontecer com o álcool, a cocaína e até mesmo com o jogo, que não tem nada que ver com as drogas. Seus efeitos são administráveis e não perturbam sua vida profissional e familiar — diz-se, com propriedade, que a vida de uma pessoa se arruína quando ela se prejudica dramaticamente no plano do trabalho e da vida afetiva. E talvez tenha sido por causa disso que a nicotina foi considerada uma droga de importância menor e de malefícios duvidosos. Porém, do ponto de vista do vício, ou seja, da perda de controle sobre a droga, ela provoca uma das dependências mais severas e de recuperação dificílima. **Não se devem confundir os poucos efeitos psicotrópicos da nicotina com suavidade de vício; é um vício muito forte e grave provocado por uma droga leve.**

Porém, do ponto de vista moral, a coisa pode ser muito destrutiva e maléfica. O indivíduo sabe que é viciado, que não pode com a droga. E isso provoca grande humilhação, grande ofensa à auto-estima. O fenômeno é parecido com o que acomete o gordo que, persistente e determinado em todos os outros aspectos da vida, não se conforma de não ser capaz de seguir uma dieta com rigor e aplicação; incapaz de cumprir suas metas, costuma se sentir fraco, deprimido, perdedor. E sentir-se-á assim mesmo que os quilos que tenha a perder sejam irrelevantes; é a sua derrota pessoal que provoca o abatimento.

Uma característica do vício do cigarro é que existem graus de dependência. Ou seja, há viciados que fumam dez cigarros por dia e outros que poderão fumar sessenta. Há, pois, viciados leves e severos dependentes. Apenas a título de ilustração — útil para que você se classifique de modo simples —, cito os critérios propostos por J. W. Farquhar e G. A. Spiller, que foram publicados no livro *The last puff* (Nova York: W. W. Norton, 1990). **Eles consideram um viciado leve aquele que fuma até vinte cigarros por dia, que pára de fumar quando está com gripe e fuma o primeiro cigarro do dia pela hora do almoço. Consideram um viciado do tipo intermediário aquele que fuma até 25 cigarros por dia, não pára de fumar quando está resfriado e fuma o primeiro cigarro depois do café-da-manhã. É um viciado severo o que fuma mais de quarenta cigarros por dia, não pára quando gripado e fuma o primeiro cigarro antes do desjejum.**

Cigarro: um adeus possível
Flávio Gikovate

Essa classificação é importante porque corresponde ao que observamos na prática. Penso que os fatores mais importantes não estão ligados ao número de cigarros fumados, mas à interrupção ou não durante as doenças das vias aéreas superiores, bem como ao horário do primeiro cigarro. Ainda não temos dados para afirmar se existem características de personalidade diferentes que determinem a intensidade do vício nas pessoas. Pessoas mais sentimentais tendem a se apegar mais intensamente? Ou será exatamente o inverso: as que têm muito medo de se ligar a pessoas se ligam mais intensamente ao cigarro? Serão as mais obsessivas, meticulosas e perfeccionistas as que mais severamente se viciarão? Da experiência que pude acumular até agora, concluo que nenhuma dessas afirmações é verdadeira. Tenho visto de tudo e não posso fazer nenhum tipo de generalização. Não é possível, e é bom que se registre isso como hipótese, que a resposta venha da genética ou da química cerebral; ou seja, que o tipo de vínculo de dependência acabe sendo função do modo como o organismo se acopla à nicotina.

quatro

O vício de fumar tem deparado, de alguns anos para cá, com imprevistos. Refiro-me ao fato de que as pessoas viciadas há bastante tempo não podiam saber que o efeito maléfico do fumo seria indiscutivelmente provado e que isso acabaria por impor aos governos — e à sociedade como um todo — o dever de iniciar um combate ao cigarro. **Em virtude dos interesses econômicos em jogo, e talvez da percepção de que procedimentos baseados em atitudes autoritárias e radicais não sejam muito eficientes, as sociedades ocidentais têm preferido a estratégia de dificultar paulatinamente a vida dos fumantes. A conduta é lenta, mas indiscutivelmente inteligente e eficaz.** Daqui a pouco, você verá que minha proposta para as pessoas que desejam parar de fumar tem muitos pontos em comum com a política de governos como o dos Estados Unidos em relação ao assunto. Aliás, sempre fui um grande defensor e admirador das propostas concretas que levam as pessoas — ou os grupos sociais — a atingir seus objetivos. As boas propostas são as que levam a resultados positivos.

Um dos pontos centrais da filosofia adotada pelo governo norte-americano — e seguida, ainda que parcialmente, por vários países, inclusive pelo Brasil — é a

proibição de fumar em um número crescente de situações e lugares. Não se pode mais fumar em cinemas, salas de espera coletivas, aviões, certos setores de restaurantes, lojas, supermercados e veículos de transporte coletivo. **É claro que as proibições continuarão, apesar da polêmica causada por toda nova medida que traz restrições aos fumantes. A questão é complexa do ponto de vista dos direitos. Porém, tem prevalecido o respeito pelos não-fumantes, a pretexto dos malefícios que eles podem ter pela inalação da fumaça de terceiros.**

Um aspecto que vem crescendo, junto com a revolta dos não-fumantes, é a atitude coletiva de julgar o viciado em cigarro uma criatura inferior, uma pessoa fraca — ou ignorante — que ainda fuma apesar das insistentes recomendações médicas em contrário. O indivíduo que, no passado, começou a fumar para se sentir especial e superior hoje em dia se sente inferior por esse mesmo fato! É essa, pelo menos, a tendência de julgamento dos não-fumantes. Talvez exista aí certa vingança (pois podem ter se sentido por baixo quando jovens por não terem sido capazes de fumar), mas o fato indiscutível é que a razão está com os não-fumantes.

Ser contra o cigarro não é, pois, um simples modismo. É uma atitude de bom senso derivada de recentes descobertas científicas que apontam a nicotina e os outros ingredientes da fumaça do tabaco como causadores de graves malefícios para o organismo humano. A situação dos fumantes está confusa hoje. Por um lado, ainda guardam restos da sensação de superioridade e destaque social ocasionada pelo ato de fumar. Por outro, sentem-se vermes, cidadãos de segunda categoria por ainda fumarem. **Antigamente, a vaidade reforçava o ato de fumar; hoje ela está mudando de lado. Sabemos o peso dessa emoção em nossa vida interior e em nossas decisões. Essa mudança pode, portanto, ajudar as pessoas a abandonar o cigarro.**

É indiscutível também que a classificação do hábito de fumar como uma atividade própria de pessoas mal informadas e de posição social inferior tem influenciado para que um número crescente de pessoas — especialmente adultos — não se aproxime do cigarro nem faça os esforços necessários para se viciar. Infelizmente isso não é tão comum para os adolescentes; as outras motivações, às quais já me referi com detalhe, parecem ser predominantes. De todo modo, vale registrar que há muitos anos não tenho notícia de algum adulto que tenha começado a fumar.

Por outro lado, muitas pessoas pararam de fumar em conseqüência da vontade de se colocar do lado do bom senso e da nova posição da vaidade. Muitas pessoas conseguiram superar os primeiros obstáculos da interrupção do vício. Algumas vezes com grandes sacrifícios, outras de forma mais suave do que podiam supor. Fizeram isso sem grande reflexão e sem entender exatamente por quê. Pararam de fumar pela mesma razão que começaram: porque era moda. Para muitos foi o suficiente, e eles nunca mais voltaram a fumar.

Outros, porém, não conseguiram tal neutralidade em relação ao vício e não esqueceram tão completamente o

Cigarro: um adeus possível
Flávio Gikovate

velho companheiro. Podem ter ficado sem fumar por anos a fio, mas a saudade voltava forte de tempos em tempos. Não foram poucos os que passaram a comer mais e ganharam quinze, vinte quilos. Substituíram, de certa forma, o cigarro pela comida, especialmente pelos doces. Outros passaram a ingerir mais álcool. Enfim, cada um buscou um caminho para reequilibrar sua subjetividade, agora sem a presença do cigarro. Construíram equilíbrios não muito estáveis e diante de dificuldades maiores retomaram o hábito de fumar. Voltaram a fumar em situações nas quais se sentiam inseguros, ameaçados ou desamparados; precisaram do "velho amigo" nessa hora difícil. **Voltaram a fumar na hora do divórcio, quando precisaram mudar de cidade ou de país, diante de uma importante perda de status social, na aposentadoria ou quando tiveram de enfrentar um novo ambiente de trabalho. Faltou-lhes a estrutura necessária para ultrapassar de vez o vício do cigarro; ele ficou adormecido e reapareceu na hora de uma adversidade maior.** Meu objetivo com este livro é fazer que essa recaída esteja fora de cogitação. O caminho talvez seja mais longo, mas o resultado deverá ser mais firme. Sim, porque todos teremos de enfrentar muitas situações dolorosas de desamparo e insignificância nos anos que ainda temos para viver. E temos de ser fortes para ultrapassar todos os obstáculos sem recorrer ao cigarro como salvação.

A questão da "força de vontade"

1
um

A força de vontade seria uma determinação da razão capaz de nos levar aonde gostaríamos, vencendo eventuais desejos que existam em nós e se oponham a essa caminhada. Estamos com fome e desejamos nos alimentar de doces e chocolates. Nossa vontade quer que percamos peso e a razão nos diz que já comemos bastante hoje. Está criado um clima interior de tensão, derivado da existência de duas forças antagônicas: o desejo e a racionalidade. **O desejo é imediatista e a razão visa a objetivos em longo prazo. O desejo quer o prazer imediato. A razão exige a renúncia aos prazeres imediatos em favor de benefícios maiores no futuro.**

As determinações da razão que se opõem à realização de desejos capazes de provocar prazer imediato precisam ter por objetivo a conquista de outros prazeres, mais estáveis e sofisticados, que virão justamente se formos capazes de renunciar aos instantâneos. É preciso que esse aspecto fique bem claro, pois ele mostra que toda a nossa estrutura psíquica existe e está montada para a conquista do prazer. Acontece que a inteligência nos permite fazer previsões, de sorte que são muitos os casos em que podemos obter mais e melhores benefícios no futuro se formos capazes de renunciar a alguns deles no presente. Ser uma pessoa racional não é, portanto, negar os prazeres. **Ser racional é saber lidar com o tempo, a fim de poder ter a maior cota possível de prazeres.**

Ser uma pessoa rica em força de vontade, persistência, determinação, paciência e competência para renúncias não significa, pois, ser amante de sacrifícios. Significa ter uma razão suficientemente forte para liderar as disputas internas que sempre acontecerão. **Temos muitos desejos e nossa razão deve nos guiar; deve esclarecer-nos acerca da hora de realizá-los e de abrir mão deles em favor de circunstâncias mais favoráveis no futuro. Uma pessoa assim corresponde ao que chamamos de "racional", mas isso não significa que ela deva ser fria ou calculista, sentidos pejorativos dessa palavra; aliás, tais pessoas são acusadas de ser assim por criaturas explosivas e intolerantes a frustrações, incapazes, portanto, de administrar a própria vida íntima.** São acusadas de calculistas por pessoas que morrem de inveja de sua ponderação e de seu bom senso.

Uma pessoa pode ser sentimental e cheia de impulsos sexuais e, ao mesmo tempo, ser racional e capaz de avaliar os prós e os contras de cada situação — se é a essa pessoa que se costuma chamar de calculista, evidentemente podemos considerar isso um elogio, pois é uma grande qualidade. Atitudes intempestivas não são sinal de emoções fortes, e sim de descontrole; ou então, o que é pior, do desejo de pressionar e intimidar as criaturas que estão à volta.

Algumas concorrentes contemporâneas da psicologia passaram a valorizar a idéia de que as pessoas deveriam se comportar conforme seus desejos, especialmente nos casos em que eles não estivessem de acordo com a razão. Ou seja, na divergência entre razão e emoções, a pessoa deveria agir segundo as últimas. A proposição era oposta à de épocas antecedentes, racionalistas por excelência. Mas o racionalismo do século XIX era muito diferente do que estou chamando de racionalidade para os tempos atuais. No passado, a razão decidia sem consultar as emoções e sem grande reflexão. Era de determinado modo porque precisava ser assim, e não se discutia mais o assunto. Era uma racionalidade usada para abafar e calar as emoções; estas nunca eram consultadas e iam, aos bandos, povoar o domínio do inconsciente — para onde iam todas as emoções que não estivessem de acordo com as normas estreitas e os preconceitos da racionalidade de então.

É perfeitamente compreensível que os primeiros psicanalistas e seus seguidores tivessem se empenhado justamente em entender melhor as emoções, tomando o partido das partes reprimidas. É compreensível também que muitos tivessem pensado que a salvação seria a inversão dos fatores, de sorte que as emoções deveriam estar sujeitas ao mínimo de repressão. O pêndulo sai de uma posição para sua oposta. Acontece que, depois de certo tempo, devemos nos empenhar em procurar uma posição intermediária, que é onde costuma estar o bom senso. Tendemos a ser radicais, mas sabemos que a virtude está no meio.

A racionalidade que proponho não é radical com respeito às emoções e muito menos pretende reprimi-las. Temos de ouvir nossas sensações e os apelos e pedidos de todas as partes do nosso organismo. Temos de ponderar a respeito de cada situação e saber se é o caso de atender a dado pedido ou não. No exemplo da comida, que iniciou nossa reflexão, muitas são as vezes em que podemos e devemos nos permitir até mesmo alguns exageros. Há outras ocasiões, porém, nas quais é conveniente que sejamos firmes e intransigentes; quando for essa a situação, dane-se o desejo e seja feita a vontade da razão. Sempre é bom lembrar que a nova vontade da razão não está mais sintonizada com regras rígidas e preconceitos — como no passado —, mas sim com a possibilidade de prazeres e benefícios maiores no futuro. Abro mão dos doces em favor de uma aparência física que fará a alegria de minha vaidade. Abro mão de um prazer imediato em troca de mais prazer depois.

Acredito, pois, que a razão tenha força para vencer os desejos imediatos quando está sintonizada com prazeres maiores a serem obtidos depois. A razão não vence os desejos simplesmente porque deve vencer, mas porque é capaz de trazer maior quantidade de prazeres. Essa é a regra geral que nos governa, a da busca dos prazeres — e da fuga dos desprazeres, que não deixa de ser também uma forma de prazer. A exceção tem que ver com processos destrutivos também existentes em nós que podem nos levar a decisões opostas a nossos interesses, especialmente nos períodos em que estamos bem; tais casos são de extrema importância na vida prática e sentimental, mas creio que sejam irrelevantes para o tema a que estamos nos dedicando neste livro.

dois

Considerando que as forças da razão dependem do vislumbre de recompensas de médio ou longo prazo que sejam capazes de fazer frente aos prazeres imediatos reclamados pelo desejo, é possível compreender o fato de tantos autores que estudam os vícios — em particular o do cigarro — pensarem que a força de vontade não dê conta de sua supressão. Para eles a razão não pode se opor aos vícios com sucesso, porque as recompensas são percebidas como insignificantes em relação aos prejuízos imediatos que devem ser enfrentados. Além do mais, a dependência física acaba, em muitos casos, por desequilibrar a balança a favor do vício.

Vamos nos ater a esses aspectos para tirar algumas lições e ver como a razão pode ser uma aliada útil em um projeto tão difícil como parar de fumar. **O consumo regular do cigarro provoca a sensação de bem-estar própria da atenuação do desamparo — pois é isso que ele representa depois de certo tempo de convivência regular. Provoca, ainda, certa sensação erótica, especialmente quando fumamos determinados cigarros em algumas situações: sensações desse tipo reaparecem quando, por exemplo, estamos no exterior e, depois de um jantar num restaurante de luxo, experimentamos**

Flávio Gikovate

um cigarro especial, mais caro, de tamanho ou cor diferentes do usual. Além disso, fumar tira a inquietação desagradável que não fumar determina nos viciados. São várias as sensações agradáveis, de prazer imediato, associadas ao cigarro.

Uma proposta racional de parar de fumar teria de prometer grandes satisfações posteriores para esse terrível sacrifício. **E quais seriam elas? Um pulmão mais claro e uma oxigenação mais fácil do sangue? A diminuição das chances de contrair certas doenças mortais? Um hálito mais agradável, o paladar e o olfato mais apurados? Parece que tais promessas não são, como regra, argumento suficiente para abrir mão das gratificações imediatas do hábito de fumar.** Se aparentemente forem convincentes, o indivíduo pára de fumar por algumas horas e passa a sentir uma dor e uma tristeza tão grandes que rapidamente muda de idéia e prefere voltar aos cigarros a qualquer custo.

Mesmo quando sofrem de doenças causadas pelo cigarro, para as quais a supressão da droga traria óbvios e imediatos benefícios, os fumantes têm enormes dificuldades para interromper o vício. Um fumante com bronquite crônica teria imediato alívio do sofrimento caso deixasse de lado o cigarro. Qual o quê! Se tentar, ao fim de poucas horas a depressão enfraquecerá suas convicções e lá estará ele de volta ao pito. Não tenho a menor dúvida de que a dependência física representa um enorme agravante na tentativa de parar de fumar. Nessa hora, é necessária uma força de vontade extra para vencer a inquietação e a depressão causadas pela ausência da nicotina no corpo.

Quando eu falo de uma "força de vontade extra", estou me referindo à necessidade de vislumbrar enormes vantagens posteriores derivadas do abandono do cigarro. Vantagens que ultrapassem com grande folga os prejuízos imediatos e sejam fortes e atraentes o suficiente para vencermos a dor da dependência física.

A meu ver, esses dados não indicam que, de fato, a força de vontade — ou as energias que derivam da razão e do bom senso — não seja importante para parar de fumar. Aliás, se não pudermos contar com a razão para nos guiar nessa travessia, quem nos auxiliará? De onde virão as forças para interromper o círculo vicioso que é o processo de fumar? Acho apenas que temos subestimado terrivelmente a interrupção do vício, bem como as coisas que precisamos saber e os recursos que devemos mobilizar para atingir esse objetivo. Não se trata de tarefa simples, como pode parecer a um observador que não tenha passado pelo problema. Um magro jamais poderá avaliar o sofrimento pelo qual um gordo passa quando faz dieta. Para o magro a comida é apenas uma forma de repor as energias necessárias para a vida, além de uma fonte eventual de prazer gustativo. Para o gordo a comida é aconchego, proteção, encarnação da figura da mãe! A privação para ele é incrivelmente mais dolorosa e amarga, pois a comida ganhou significados emocionais inexistentes para o magro.

Cigarro: um adeus possível
Flávio Gikovate

Da mesma forma, uma pessoa que nunca fumou jamais poderá entender direito como é difícil se livrar dessa "fumaça ridícula" que vive sendo inalada — muitas vezes causando tosse e piorando infecções respiratórias agudas ou crônicas. Não vejo outro caminho senão levantar — como estamos tentando fazer neste livro — todas as variáveis envolvidas no problema, a fim de compor uma determinação interior suficientemente forte para ultrapassar os terríveis obstáculos que temos pela frente. Temos de partir do princípio de que o cigarro passou a ter vários significados para nós. Temos de compreender tudo que está por trás de cada gesto do ritual que fazemos ao fumar. Temos de querer saber tudo que pudermos sobre as características da dependência física e sobre o tipo de recursos de que poderemos lançar mão para atenuar uma eventual crise de abstinência. **Em uma frase: temos de ir fundo na questão para construir um edifício de argumentos capaz de sustentar a força de vontade, mesmo quando passarmos pelos momentos mais difíceis do processo de desintoxicação. Temos de saber que nosso projeto é nos livrar de um dos vícios mais difíceis de ser vencidos, senão o mais difícil. Talvez seja o mais difícil de ser vencido exatamente porque é muito complicado construir os conceitos e raciocínios que nos demonstrem as vantagens posteriores capazes de suplantar os prejuízos em curto prazo.** Talvez esse vício só seja curável naqueles que tenham por objetivo as delícias de ser uma pessoa independente, livre de todos os tipos de amarras! Voltaremos a isso depois.

Cigarro: um adeus possível

Flávio Gikovate

Talvez agora fique mais claro o que pretendi dizer, logo no início do livro, acerca da enorme diferença entre "Acho que devo parar de fumar" e "Quero muito parar de fumar". "Acho que devo" reflete uma disposição intelectual muito superficial, baseada na consciência dos malefícios do cigarro e numa vontade difusa de se livrar de algo que um dia poderá ser responsável por algum prejuízo à saúde física. Não é, em hipótese alguma, argumentação ou convicção suficiente para sequer tentar a proeza de parar de fumar; se essa tentativa for feita, não durará nem seis horas. "Quero muito parar de fumar" significa que algo já aconteceu intimamente, de sorte que a pessoa pode ter construído uma convicção mais abrangente e sofisticada; ainda assim, isso não é garantia suficiente de que estará pronta para iniciar os procedimentos de interrupção do vício com boas possibilidades de sucesso. A caminhada é longa e tem de ser percorrida passo a passo. Mas a passagem do "acho que devo" para o "quero muito" é, indiscutivelmente, o início.

três

No final deste capítulo e no próximo, sugerirei alguns passos que considero fundamentais para que possamos, na hora oportuna, parar de fumar. Eles correspondem a um conhecimento cada vez mais completo e apurado do problema, por um lado, e a um conjunto de medidas concretas capazes de aumentar a vontade de abandonar de vez o cigarro, por outro. Essas medidas práticas visam à constituição de processos e recompensas que permitiremos a nós mesmos caso o vício seja controlado; podem parecer procedimentos banais e primários, mas não devemos esquecer que temos laços de parentesco definitivos com os outros mamíferos. Se os cavalos só andam bem quando podem contar com um torrão de açúcar logo que terminam a corrida, processos similares podem ser de valia para nós também, especialmente quando se trata de um vício tão estável e arraigado como o do cigarro.

Acredito que a passagem do "acho que devo" para o "quero muito" parar de fumar é altamente beneficiada por uma atitude corajosa de introspecção que poderíamos chamar de honestidade intelectual. Isto é, a vontade efetiva de conhecer todos os ingredientes envolvidos em dada ação ou forma de pensar; uma vontade

inabalável, que se sustenta custe o que custar. A honestidade intelectual determina a busca da verdade, ainda que esta nos incrimine, nos diminua e nos humilhe. Ela é fruto, portanto, de espíritos fortes. E forte é aquele que suporta bem as dores da vida, e não aquele que fala grosso e finge uma auto-suficiência que não se sustenta nem na menor adversidade.

A pessoa intelectualmente honesta não gosta de mentiras nem dissimulações. Se for pobre, jamais vai se colocar socialmente como rica. Ao comparar tais pessoas com as mais extrovertidas e que gostam de exagerar seus feitos, podemos ter a impressão inversa; ou seja, a de que o forte é o fraco e o fraco é o forte. Sim, porque os fracos já perderam a esperança de ser alguma coisa e hoje apenas tentam enganar as pessoas com quem convivem, exibindo-se como fortes apenas para manter as aparências. Essas pessoas jamais admitem seus erros e inseguranças. Por dentro, sabem que não valem muito, mas não raro tentam se enganar também. Não têm estrutura para derrubar seu castelo de mentiras e reconstruir a intimidade com pilares sólidos e verdadeiros.

Dessa forma, as pessoas intelectualmente honestas são aquelas que não têm medo ou vergonha de mostrar a si e aos outros que são criaturas imperfeitas e em constante aprimoramento. Costumam ser as mais discretas, as que falam menos, as que detestam mentiras. Não raramente têm dificuldades na vida social, pois reconhecem, com desgosto e perda de interesse, a farsa e a hipocrisia que costumam ser a tônica dos relacionamentos; é como se as pessoas estivessem, o tempo todo, fazendo pose umas para as outras. Há, é claro, muitas pessoas honestas que gostam de festas e de convívio social em grupos grandes. Gostam de olhar, de ser olhadas; podem considerar engraçada a própria hipocrisia — ou mesmo nem ver as coisas por esse ângulo e achar que se trata apenas de um show de exibicionismo; ou, então, podem gostar de freqüentar esses ambientes porque outros interesses (eróticos, comerciais etc.) as impulsionam para essa direção.

As pessoas honestas mudam de opinião se surgirem novos dados capazes de demonstrar que suas convicções não podem mais se sustentar. Estão, portanto, em permanente processo de evolução. Mas não é uma evolução rápida; não mudam de idéia duas vezes por semana acerca de dado assunto; não mudam de idéia como se troca de roupa. Analisam todas as hipóteses antes de formar novos juízos. Seus julgamentos são, pois, sólidos e construídos com base em uma reflexão sofisticada. Aliás, é por isso que só poderão ser alterados por uma ampla série de novos dados e informações; estas serão muito bem ponderadas antes de determinarem a saída dos antigos conceitos e a formação dos novos. **Podemos dizer que as pessoas intelectualmente honestas têm convicções muito sólidas e firmes e, ao mesmo tempo, grande capacidade para mudar de opinião, desde que estejam devidamente convencidas de que é esse o caso.**

Agora, agir com honestidade a respeito de um assunto que nos envolve emocionalmente e com o qual temos o tipo de dependência que chamamos de vício é uma coisa extremamente difícil, mesmo para os espíritos mais sofisticados. Para um indivíduo que, como eu, se viciou no cigarro nos anos 1950, as primeiras notícias — derivadas das primeiras provas científicas — sobre os malefícios da nicotina soaram como um grande absurdo. A partir de 1964, começaram as publicações médicas que incriminavam o cigarro como importante fator coadjuvante no aparecimento de tumores das vias respiratórias, especialmente dos brônquios. "Mas será que é verdade mesmo?", pensávamos nós, com grande tendência para uma resposta negativa, pois essa era nossa vontade; digamos que, por um tempo, a vontade valeu mais do que a verdade. "Está certo que a fumaça é um fator de irritação, mas será capaz de dobrar a freqüência do carcinoma de pulmão em fumantes (em relação aos não-fumantes)? De dobrá-la, quadruplicá-la ou mesmo decuplicá-la?"

Não queremos que isso seja verdade porque não nos interessa. A constatação desse fato e sua "absorção" pelo processo psíquico terão de determinar uma nova atitude com relação ao cigarro, do qual gostamos tanto; a simples idéia de precisar parar de fumar nos provoca vontade de chorar. **Aí surgem os pensamentos próprios da chamada racionalização — argumentos de aparência lógica encobrindo fortes emoções que deturpam e afastam a pessoa da verdade: "Prefiro viver uns anos a menos a abrir mão do cigarro"; "É melhor viver menos e intensamente do que viver mais e me privar dos prazeres de que gosto tanto"; e assim por diante. Por trás disso, a verdade é:**

Flávio Gikovate

"Está bem, não posso negar que há evidências de que o cigarro faz mal, mas não tenho forças para abandoná-lo". Para as pessoas honestas, pouco a pouco essa constatação vai se cristalizando na consciência.

As provas não param de se acumular, mostrando que a fumaça do cigarro e a nicotina provocam doenças respiratórias — principalmente o enfisema, doença terrível que dá ao portador a sensação de se afogar no seco —, são coadjuvantes no surgimento de tumores em outras regiões do organismo e agravam certos distúrbios gástricos. O cigarro é, depois do estresse — com o qual está em íntimo convívio —, o maior causador de doenças cardiovasculares precoces. Recentemente foi constatado que, entre os portadores do HIV, os fumantes adoeciam com freqüência dobrada em relação aos não-fumantes. E assim por diante. Pode parecer que existem alguns exageros — essa certamente será a opinião de muitos fumantes, ávidos por buscar uma falha na argumentação contra o cigarro —, mas a verdade é que, se existirem, serão exatamente na direção oposta: governos e grandes interesses econômicos prefeririam que o cigarro não fizesse mal algum e adorariam se fosse saudável.

Não há mais como escapar da verdade, mesmo com toda a vontade atuando em oposição à reflexão honesta. **Não há mais como sustentar as racionalizações: o cigarro faz mal à saúde. E faz mal também à saúde das mulheres, que podem ser menos suscetíveis às doenças cardiovasculares precoces mas têm o risco de tumores idêntico ao dos homens. E mais, não há dúvida**

de que recém-nascidos de mães fumantes têm peso menor do que aqueles cujas mães não fumaram durante a gestação. É mais uma prova de que o cigarro não traz nenhum benefício ao sistema circulatório da mulher — nem ao do feto. A nicotina contrai as artérias, o que pode provocar dificuldade para a passagem do sangue e predispor à pressão alta. Não tem jeito: o cigarro é uma grande porcaria e só pode fazer mal. O argumento de que Fulano e Ciclano fumaram a vida toda e morreram aos 85 anos sem nenhum sinal de terem sido prejudicados pelo cigarro não consola ninguém nem tem valor algum. As exceções existem e nem por isso nossas chances de fazer parte desse pequeno grupo são maiores. Há pessoas que sobreviveram ilesas de terríveis acidentes aéreos — mas nem por isso queremos que nosso avião caia!

Pois bem, o que acontece depois do reconhecimento inquestionável de que o cigarro é um veneno e de que nós, ingenuamente, nos viciamos nesse ritual mortal? Paramos de fumar de imediato? Infelizmente não. Passamos a fumar com culpa! Continuamos a fumar o mesmo número de cigarros, a inalar a fumaça exatamente do mesmo modo. Mas a cada cigarro vivenciamos uma sensação desagradável; sabemos que estamos fazendo uma grande bobagem, que estamos nos prejudicando. Pode ser que algumas vezes ainda tenhamos certa tendência a nos enganar e pensemos: "Afinal, isso não deve fazer tão mal quanto dizem". Especialmente se conseguirmos diminuir um pouco o número de cigarros ou mudar para uma marca com menos teor de nicotina, há certa tendência para a atenuação da culpa.

A verdade é que, depois que nos compenetrarmos dos malefícios do cigarro, nossa relação com ele nunca mais será a mesma. Passaremos a ser ambivalentes em relação ao ato de fumar e ao cigarro: continuaremos a amá-lo, mas já terá se estabelecido um processo pelo qual também passaremos a odiá-lo. É nosso amigo e companheiro, mas também nosso inimigo que, a qualquer momento, poderá nos apunhalar pelas costas.

quatro

E por que não largamos o cigarro de vez? Certamente **porque o que nos prende a ele é mais forte do que os temores que ele passou a provocar.** E olha que estes estão relacionados com doenças mortais que podem ser fortemente influenciadas pelo cigarro. Só podemos concluir que o que nos prende a ele tem uma força enorme. Trata-se de uma dependência brutal, que talvez jamais tenhamos experimentado em relação a qualquer outra coisa ou pessoa — ao menos que nos lembremos. E é exatamente a isso que estamos chamando de vício.

O que fica evidente é que o vício desequilibra a balança a favor do fumo, mesmo quando a razão já se convenceu dos riscos de graves danos à saúde previstos em médio e longo prazo. Em grande número de pessoas, o vício desequilibra essa balança mesmo quando os danos já estão presentes. É uma força brutal essa que nos ata ao cigarro — como, de resto, acontece com o vínculo que estabelecemos com outras drogas ou situações. Não podemos nem devemos, em hipótese alguma, subestimar esse adversário e as enormes dificuldades que teremos para vencê-lo. Aliás, subestimar as dificuldades, dizendo "Isso é fácil", "Aquilo se consegue com o pé nas costas" e coisas do gênero, é um sinal óbvio de imaturidade e onipotência. É só para essas pessoas, movidas pela idéia de que tudo lhes é favorável — o que a vida se encarregará de mostrar que, infelizmente, não é verdade —, que as coisas parecem simples. Não são raras as vezes que deparamos justamente com o contrário; o que parece mais fácil e simples esbarra em dificuldades e obstáculos insuspeitados.

Se parar de fumar fosse fácil, é provável que o simples fato de se conscientizar dos malefícios da droga bastasse para que todos — ou quase todos — os fumantes abandonassem o cigarro. Mas a verdade é que ainda existem dezenas de milhões de fumantes apenas em nosso país. Não é possível que sejam todos fracos e desonestos. Pode ser que haja ainda grande número de fumantes que se enganam o suficiente para achar que o cigarro não faz mal. Mas imagino que metade desses milhões de fumantes é do tipo que já está com culpa, do tipo que poderíamos chamar de "fumante envergonhado". Envergonhado, mas ainda fumante, que não sentiu força para abandonar de vez o vício.

Outra coisa indispensável para as pessoas intelectualmente honestas é reconhecer que são viciadas no cigarro! Devem admitir que não têm controle sobre a rotina de acender e inalar a fumaça a cada intervalo de tempo. Devem reconhecer que não mandam na relação que têm com o cigarro; que é ele que manda nelas, e isso é estar viciado. Não devemos procurar palavras doces e mais leves do que "vício". Sim, trata-se de um vício; idêntico ao do álcool, da cocaína, da heroína ou da maconha. A única diferença é que a nicotina afeta menos o psiquismo do viciado, de sorte que os malefícios sociais e profissionais são mínimos. Mas, em termos da relação do homem com a droga, o tabagismo é um vício que não fica devendo nada à heroína ou a qualquer droga pesada.

A constatação de que o hábito de fumar corresponde a um vício pode levar a pessoa a se sentir um tanto humilhada e deprimida. Pessoas íntegras e de caráter não gostam de reconhecer suas fraquezas, muito menos de admitir que sejam comparáveis às fraquezas de outras pessoas às quais não só não admiram como desprezam. E o vício de fumar é, em quase todos os aspectos, idêntico aos vícios mais dramáticos e graves no que diz respeito à decadência moral do viciado. Apesar de não trazer nenhum efeito de decadência moral em virtude dos efeitos da nicotina — que são pobres e discretos do ponto de vista cerebral —, **fumar pode abalar muito a auto-estima daquelas pessoas que já se perceberam como viciadas e sem controle sobre a droga. A humilhação e o enfraquecimento da razão derivam da constatação da dependência, e não do efeito da droga.**

A consciência do próprio vício pode trazer, num primeiro instante, uma dramática sensação de autodepreciação. Isso é especialmente verdadeiro para as pessoas muito exigentes e rígidas consigo mesmas e para aquelas que toleram mal suas limitações e os aspectos que as assemelham com os outros seres humanos — a vaidade definitivamente afasta algumas pessoas de todo o bom senso. A pessoa assim depreciada ficará ainda mais fraca

Flávio Gikovate

e sem condições para combater o vício. **Talvez este seja um dos aspectos mais graves de todos os vícios e corresponda ao "círculo vicioso" clássico: o vício enfraquece a razão, o que abre as portas para a perpetuação do vício, pois não há como se opor a ele.**

Fica claro que a superação desse círculo vicioso é de capital importância para a razão se fortalecer e fazer o seu papel — fundamental — de nos ajudar a parar de fumar ou a interromper qualquer tipo de vício. De nada adiantam as atitudes radicais, abruptas e drásticas que algumas pessoas tomam após se conscientizar de algo que as prejudica, interrompendo imediatamente o vício. Jogam fora o maço de cigarros e determinam que nunca mais chegarão perto desse tipo de fumaça. Pode ser até que obtenham sucesso por esse caminho e fiquem por vários meses ou anos sem fumar, mas sentirão saudades eternas do cigarro. Algumas desenvolverão uma atitude radical contrária, tornando-se defensoras dos direitos dos não-fumantes. Isso, como regra, encobre o grande afeto que ainda dispensam pelo cigarro e a necessidade de serem fanaticamente contra o seu uso por medo de uma recaída. Aliás, são essas pessoas que, em adversidades, mais que depressa acendem um cigarro e voltam, em poucos dias, aos velhos hábitos e rituais e à cota de nicotina que lhes era peculiar antes da brusca interrupção.

Um projeto para parar de fumar

1
um

Quero deixar registrado, desde o início deste capítulo — que talvez seja aquele que você esteja buscando nesta trajetória pelo mundo dos vícios —, que não
tenho grande simpatia por atitudes radicais e drásticas, a não ser quando é chegada a hora oportuna. Ou
seja, quando estamos prontos para que nossa empreitada tenha a maior probabilidade de sucesso. Um fracasso no processo de parar de fumar poderá provocar
uma desmoralização ainda maior da razão. É o que
acontece com todo tipo de revés: ficamos deprimidos
porque nos sentimos menores do que o obstáculo.
Deveríamos, pois, fortalecer-nos ao máximo antes de
tentar ultrapassá-lo.

Com base nas considerações que fiz até agora — especialmente nas histórias de pessoas que venceram o
vício do cigarro e em minha própria experiência —,
tomo a liberdade de fazer uma proposta mais concreta a
respeito do caminho a ser percorrido por aqueles que
desejam muito parar de fumar. É evidente que se trata
apenas de algumas sugestões e que cada pessoa deverá
buscar um caminho compatível com sua personalidade
e sua maneira de pensar sobre o assunto. É claro também que me servi de alguns mandamentos tradicionais

dos Alcoólicos Anônimos e de várias sugestões que li ou ouvi ao longo de pelo menos quinze anos nos quais quis parar de fumar. A proposta será apresentada em sete etapas que, segundo acredito, deveriam se suceder mais ou menos na ordem sugerida.

1 – Preparar-se para uma grande batalha. Não resta a menor dúvida de que parar de fumar é uma das conquistas mais difíceis e uma das coisas mais importantes que podem acontecer na vida de um viciado em nicotina. Trata-se de um desafio monumental. É algo parecido com a conquista de uma medalha numa Olimpíada, para um atleta. Não, não estou exagerando nem sendo dramático ou piegas. Parar de fumar é mesmo um evento extraordinário. É uma coisa muito difícil, uma conquista que honra o vencedor, resgata sua auto-estima, sua força e confiança na razão. O processo é igualmente difícil para um obeso que queira emagrecer, para um alcoólico ou cocainômano que deseje abandonar o vício. Quem for capaz de ter sucesso nessas empreitadas não pode deixar de sentir enorme orgulho de si mesmo.

Gostaria de deixar registrada, com grande ênfase, a existência de dois tipos de vitória sobre o vício do cigarro. Não sei se o conceito se estende a outros vícios nem quero entrar nesse tipo de polêmica agora, de sorte que falo apenas do tabagismo. O indivíduo pode parar de fumar e continuar com muitas saudades do cigarro cinco ou seis anos depois. Ou pode parar de fumar e, depois de algum tempo — meses ou, provavelmente, mais de um ano —, não pensar no cigarro como uma coisa boa nem cogitar, em hipótese alguma, voltar a fumar. Este último grupo não voltaria a fumar ainda que ficasse provado que o cigarro não faz mal à saúde; mesmo que soubesse que está para morrer em poucas semanas ou meses. Mas nem por isso pode brincar com o cigarro! **Sobre a necessidade da mais absoluta abstinência em relação a drogas pelas quais já desenvolvemos, no passado, dependência física (e psicológica) não há mais nenhuma polêmica – nem entre os médicos nem entre os ex-viciados.**

Parar de fumar é sempre uma grande conquista. Porém, quando a saudade persiste, podemos considerar que ganhamos uma medalha de bronze em nossa Olimpíada particular. Isso significa que ainda falta alguma coisa para atingirmos plenamente a cura do vício de fumar, que precisamos continuar a trabalhar nossa subjetividade e prosseguir na busca incessante do autoconhecimento e do aprimoramento da coragem para sermos honestos conosco. Sim, porque teremos de ser capazes de — ao menos tentar — desmontar de vez essa bomba-relógio que é a vontade de fumar. Teremos de nos lembrar do tempo em que fumávamos até mesmo com certa tristeza: que coisa mais absurda ficar inalando uma fumaça que contém substâncias tão nocivas ao organismo e capazes de provocar dependência física! Se pudermos entender bem as sensações de abandono e insignificância que, na adolescência, nos deixaram tão predispostos ao vício, se pudermos compreender como tudo isso se perpetuou e nos preparar com toda a calma antes de tentar romper com o cigarro, acho que teremos mais chances de chegar à medalha de ouro, que corresponde a esquecer plenamente o cigarro.

É exatamente porque acho que devemos pleitear a medalha de ouro, e não a de bronze, que tenho sido tão minucioso na descrição dos detalhes que colecionei a respeito do tema. Agradeço sua paciência em me acompanhar, leitor amigo, e espero que seu trabalho o conduza ao primeiro prêmio. **Por ora, apenas mais um conselho: não faça um projeto muito imediatista para parar de fumar. Não se proponha a interromper esse hábito amanhã ou na próxima segunda-feira. Compreenda que o obstáculo é enorme e que um ciclo de processos interiores ainda terá de se cumprir em você. Ciclo esse que poderá durar, talvez, 18 ou 24 meses. Afinal, para uma mudança interior, esse é um tempo relativamente curto! Na verdade, penso que você sentirá quando a hora chegar. Não tenha pressa.** O cigarro provoca malefícios só em longo prazo a maior parte das pessoas; portanto, você provavelmente dispõe desse tempo. Se não dispuser, trate de andar mais depressa. Mas não se apresse demais. Não podemos, em hipótese alguma, aumentar as chances de fracasso. Vamos procurar ter sucesso na primeira — ou na próxima — tentativa.

2 – Assumir-se como uma pessoa viciada. Já nos referimos a esse tema no capítulo anterior, quando discutimos a honestidade intelectual. Volto a insistir no assunto, pois ele é de capital importância. Assumir-se como dependente do álcool é, por exemplo, o primeiro mandamento dos Alcoólicos Anônimos. E isso não é casual. **Resistimos muito a reconhecer que estamos em poder de uma substância química pela qual somos capazes de nos dispor a grandes prejuízos ou sacrifícios. Resistimos à idéia de que somos viciados porque isso nos deprecia, prejudica o conceito que fazemos de nós mesmos.** Para minimizar o problema, tendemos a falar que se trata "apenas de um hábito"; gostamos de dizer que, afinal de contas, só fumamos doze cigarros por dia e isso não há de fazer grande mal. Dizemos que adoramos o cigarro e o ritual de fumar, quando na verdade sabemos que não podemos mais abrir mão dele com facilidade nem fumamos porque gostamos, mas porque somos dependentes; e assim por diante.

Temos forte tendência para racionalizar, encontrar explicações para o ato de fumar que diminuam nosso "crime" e nos tornem menos indignos. Isso precisa acabar definitivamente. Fumamos porque somos viciados, dependentes do cigarro e da nicotina. Fumamos o dia inteiro porque não agüentamos a sensação terrível que a falta do cigarro nos provoca. E quem sente as coisas dessa forma não pode, em hipótese alguma, dizer que gosta de fumar. O dependente não sabe se gosta ou não gosta; ele precisa do cigarro. "Precisar" é mais forte que "gostar". Gostar envolve direito de opção, e o viciado não tem opção.

Nossa honestidade intelectual deve ser exercida até o fim. Somos viciados no cigarro e acabou. Isso certamente nos leva a certa depressão, derivada de nos percebermos como "fracos". Não me empenhei em buscar outro termo para substituir a palavra "vício" para não dar a impressão de estar atenuando a constatação dramática de que pessoas "normais" e "socialmente equilibradas" podem ficar totalmente dependentes de uma droga ou de certas situações. Quis chegar a este ponto do livro e usar livremente o termo "viciado". O termo é pesado porque reflete a falta de controle que temos sobre a droga.

Esse tipo de reflexão e constatação não deveria nos deprimir; afinal, apenas mostra que somos seres humanos comuns. Mas essa talvez seja uma das razões da depressão: gostaríamos de ser melhores, mais firmes, mas também gostaríamos de não nos sentir iguais, pois preferimos ser especiais, únicos. O fato é que essa depressão tem de passar. Quem deixa o vício começará a se sentir um ser humano mais digno mesmo sendo viciado. Entender as razões que o levaram a isso ajuda bastante a evitar a autodepreciação. A auto-estima terá de voltar ao normal, pois ela é um dos ingredientes que dão força à razão. E, em dado momento do futuro, o indivíduo precisará da razão para "decolar" na viagem da interrupção do vício.

A pessoa que se reconhece viciada não pode brincar com a droga. Não pode nem sequer pensar que um dia poderá fumar um cigarro aqui e outro acolá. Não adianta se mirar no exemplo desse ou daquele cidadão — raros, por sinal — que fuma só em festas ou após as refeições. Isso é para outra classe de pessoas; não é possível para nós, os viciados no cigarro. Aliás, não nos é possível também tentar fumar cachimbo ou charuto, pensando que, dessa forma, abandonaremos o cigarro. A nicotina também é absorvida na boca, de sorte que esses rituais também viciam. Para viciado não existe meio-termo: só poderá se livrar da droga com sua drástica e radical supressão.

3 – Preocupar-se seriamente com a saúde física. Para muitas pessoas, o aumento da preocupação com a aparência e a disposição física tem levado a uma atitude de progressiva aversão por tudo aquilo que possa ser maléfico, inclusive álcool e cigarro. Não estou dizendo que as pessoas simplesmente começam a fazer exercícios num dia e param de fumar e de beber no outro. Quero dizer que, como parte do processo de um a dois anos de que muitas pessoas necessitam para se "aprontar" para o dia final — o dia em que pararão de fumar! —, o aumento da preocupação com a saúde física é de enorme valia. Contribui, de várias formas, para o fortalecimento da razão, além de tornar o parar de fumar e de beber uma necessidade. **Sim, porque quem quiser usufruir da plenitude de sua disposição corporal terá de se livrar do vício de fumar.**

Talvez um jovem, que corre dez quilômetros facilmente, mesmo fumando bastante, não perceba isso. Porém, com o passar dos anos, a quantidade de ener-

Flávio Gikovate

gia física à nossa disposição diminui, de sorte que teremos de ser mais cautelosos e zelosos no trato que dispensamos ao corpo. Vejamos um exemplo numérico, apenas para esclarecer o que pretendo dizer. O jovem de 20 anos tem à sua disposição toda a energia física que Deus lhe deu; se for negligente, suponhamos que aproveite 80% dela e receba, digamos, uma nota 8. Essa mesma pessoa, aos 40 anos, só disporá de 80% da energia da mocidade; portanto, para manter a nota 8, terá de se cuidar muito bem para aproveitar 100% da sua energia.

O cigarro é coadjuvante de várias doenças mortais. Mas, antes disso, prejudica a plena utilização do potencial físico das pessoas, dano bem mais perceptível com o passar dos anos. Aliás, as pessoas que não fumam têm a pele mais bem conservada, de modo que terão menos rugas e elas aparecerão mais tardiamente. O que quero dizer é que os que se dispõem a manter a forma física o mais próximo possível do ideal terão, no ato de parar de fumar, uma importante recompensa. E sabemos quanto isso poderá ser útil para combater o vício.

Dessa forma, a prática regular de exercícios, uma alimentação sadia e rica e a disposição para atingir o peso ideal estão em sintonia com a busca de uma boa qualidade de vida, além de estarem ligados ao desejo de maior longevidade e de uma velhice com vigor e alegria. É evidente que esse tipo de atitude faz bem à razão, pois significa nosso compromisso com a vida, com o bom humor, com o usufruto dos prazeres do corpo; significa um compromisso com a busca da felicidade, com um esforço permanente para que a vida seja um ato de construção. E o fortalecimento da auto-estima que deriva desse modo de ver a vida, e de conduzi-la, torna a razão cada vez mais forte e disposta a enfrentar as dores necessárias para que o projeto de uma vida positiva se cumpra.

4 – Alterar certos hábitos ligados ao cigarro. Este talvez seja o item mais difícil de ser cumprido. Ao mesmo tempo, penso que é o mais importante. A alteração de certos hábitos de fumar não tem por objetivo tornar a pessoa um fumante mais moderado, mas sim ajudá-la a se livrar completamente do vício do cigarro. As propostas que farei aqui visam a explicitar nossa relação com a nicotina e oferecer algumas referências acerca dos obstáculos que teremos pela frente. Ao mesmo tempo, pretende-se também ganhar certo controle sobre o vício, o que será uma enorme vitória da razão, algo que a fortalecerá mais para que ela esteja em pleno fôlego na hora oportuna de abandonar completamente o cigarro.

A alteração de certos hábitos nos mostra, portanto, três coisas: quanto teremos de caminhar para ter "certo controle" sobre o vício de fumar; quanto dói a falta de determinados cigarros; e quanto teremos de nos fortalecer — e aos poucos — se quisermos ter sucesso nessa monumental empreitada. O objetivo dessa alteração seria a redução parcial da relação de dependência com a nicotina, tornando a pessoa um fumante leve

ou moderado. **Isso diminuirá um pouco a dependência física da nicotina, de modo que as coisas serão um pouco mais fáceis na hora de parar com tudo.**

Uma das minhas sugestões é que as pessoas ampliem o período do dia que passam sem fumar. Os viciados mais pesados não conseguem nem sequer passar a noite inteira sem acordar para fumar. Deveriam, por exemplo, se determinar a não fumar durante o período do sono. **Os fumantes mais moderados poderiam, por exemplo, decidir não fumar entre 23h e 10h.** Isso corresponde a quase metade do dia, período que poderá se estender um pouco mais sem que se toque no cigarro. **Quando o intervalo é assim grande, o primeiro cigarro do dia poderá até provocar certa tontura e um pouco de formigamento nas extremidades — sensação desagradável, segundo a maioria das pessoas.** Isso pode inclusive nos ajudar a perceber claramente que a nicotina existe, que é uma droga que interfere no organismo como um todo e de efeitos danosos e desagradáveis.

A alteração de hábitos descrita anteriormente combina bem com as propostas do item 3, especialmente se as pessoas decidirem se exercitar no período da manhã. Passarão a notar significativa melhora na disposição para os exercícios, devido ao fato de estarem sem fumar por várias horas. Se pararem de ingerir álcool, os benefícios serão ainda mais evidentes. Isso é um grande estímulo à perpetuação do novo ritual de fumar, pois o prazer derivado do exercício — prazer que também é psíquico, pois a pessoa se sente feliz por estar cuidando bem de si mesma — faz que a vontade de fumar diminua. **Se a pessoa, além disso, der um intervalo entre o momento em que termina de se alimentar pela manhã e o momento em que fuma o primeiro cigarro, perceberá que, com o estômago cheio, terá menos vontade de fumar. Poderá abandonar o hábito tradicional de fumar logo após qualquer refeição. Aprenderá a ter prazer em sustentar outros sabores na boca que não o gosto amargo e estranho do tabaco.**

Ao mesmo tempo, a pessoa vai ter de perceber como é forte a vontade de fumar e como é dolorida a sensação de não satisfazer a vontade. Terá a verdadeira dimensão do obstáculo. Mas, aos poucos, também se familiarizará com suas forças construtivas. Poderá, nos fins de semana, ampliar um pouco mais o intervalo e só fumar depois do almoço. Passará alguns apuros de manhã, mas o simples fato de saber que dali a pouco vai fumar será um grande atenuador do sofrimento. De uma forma ou de outra, alguns dias com grande angústia e outros dias com menos, a pessoa começa a perceber que tem forças para lutar contra o vício; perceberá também o que ainda falta conseguir para sair da disputa como vencedora. **A verdade é que todo dia acontecerá um treinamento e a pessoa se fortalecerá aos poucos; conhecerá melhor as dores, descobrirá os "truques" que atenuam o sofrimento, as situações nas quais o cigarro se faz mais necessário, aquelas nas quais ele é dispensável ou só serve para prejudicar.** Vai conhecendo mais sobre essa relação mórbida de dependência e torna-se um pouco mais senhor da situação.

Há um lado meio maroto nessa minha proposta, que, aliás, estará presente em todas as outras: aos poucos, estamos criando problemas na nossa relação com o cigarro. **Todo dia teremos de sofrer algum tipo de desgosto por causa do vício, de modo que não é impossível que em algum lugar do cérebro comece a germinar a idéia de resolver a questão de forma mais radical: "Vamos acabar logo com esses sofrimentos e parar com o cigarro de uma vez!"** Devo registrar que essa tem sido uma das normas da política social contra o cigarro, como mencionei antes: proíbe-se o seu uso nos cinemas, nos transportes coletivos, nas lojas etc., de sorte que as pessoas viciadas terão de experimentar, várias vezes ao dia, a desagradável sensação de privação e de falta da nicotina. Aos poucos vai sendo associada ao vício de fumar uma sensação ruim, negativa, que deriva dos sofrimentos pelos quais os dependentes são obrigados a passar; e isso é muito bom, pois desequilibra mais um pouco a balança contra o vício.

Todas as outras sugestões são fundadas em propósitos similares aos dessa primeira. Deverão trazer algum tipo de tensão ou sofrimento para a relação do homem com o cigarro e fazer que o elo que os une se afrouxe e se possa ver melhor o lado negativo da dependência. Deverão ser implantadas aos poucos, pois se andarmos muito depressa voltaremos tudo que andamos para trás — e mais um pouco. Se uma pessoa gorda se dispuser a fazer uma dieta muito radical, só conseguirá mantê-la por algumas semanas. Em dado momento vai fraquejar, passará a comer desbragadamente e terminará o ciclo um pouco mais gorda. Não devemos superestimar nossas precárias forças na luta contra os vícios.

Depois de conseguirmos fumar apenas por doze ou treze horas por dia, poderemos tentar fumar, no máximo, dez cigarros por dia. Poderemos tentar fumar cachimbo ou charuto nos fins de semana e ficar dois dias sem tocar no cigarro. Talvez não sejamos capazes de ficar sem inalar a fumaça, mas não faz mal; o objetivo é ir alterando os hábitos e ao mesmo tempo criar cada vez mais dificuldades associadas ao ato de fumar. Tudo isso aumenta a voz interior que, um dia, mandará toda essa parafernália para o espaço. Fumar cachimbo ou charuto não é proposta definitiva, é apenas para tornar as coisas mais difíceis: o cachimbo é trabalhoso, difícil de carregar, provoca ardor na boca etc., enquanto o charuto tem um cheiro que poucas pessoas toleram. Tanto um quanto o outro só criam problemas, fazem sujeira e provocam uma vontade maior ainda de nos livrarmos de tudo isso. O cigarro, infelizmente, é muito prático, fácil de transportar, de fumar e de comprar.

A pessoa pode aprender a sair de casa sem cigarros por algumas horas, coisa muito difícil para um viciado que precisa do pito por perto mesmo que não pretenda fumar. Poderá mudar de marca de cigarros, pois costumamos nos viciar também "naquela" marca ou "naquela" embalagem; poderá fazer isso com certa regularidade, sempre com o intuito de diminuir o apego afetivo àquele "objeto". Poderá fumar cigarros de baixo teor de nicotina, desde que não aumente a quantidade de cigarros consumidos por dia. Poderá também fazer o inverso: quando estiver acostumado ao cigarro mais fraco, poderá comprar o mais forte, para ver como é ruim e como provoca mais tosse; se passar a gostar desse tipo de cigarros, deverá voltar aos de baixo teor. **É evidente que todo esse esforço e essa busca de problemas com o cigarro só poderão ser feitos pelas pessoas que definitivamente querem deixar de fumar.** Sim, porque não se deve subestimar a quantidade de sofrimento ligada a essas propostas, que têm exatamente esse objetivo, além de fazer que as pessoas se tornem viciados leves, ou seja, menos dependentes da nicotina.

Algumas pessoas — e alguns autores norte-americanos — acham que, além de criar dificuldades associadas ao ato de fumar cigarros, o indivíduo deveria associar ao não fumar certos prazeres. Apenas um exemplo, talvez muito significativo: digamos que você adore automóveis e esteja louco para comprar um modelo um pouco mais caro do que o bom senso lhe sugere; você morre de vontade de ter aquele carro, mas não se permite comprá-lo, embora se fizer um esforço consiga dinheiro suficiente para isso. **Compre o carro com a seguinte condição: prometendo que jamais fumará dentro do carro novo!** Você não pode correr o risco de furar aquele estofamento lindo nem permitir que o mau cheiro do cigarro substitua o aroma adorável de coisa nova e limpa. Enfim, de uma forma ou de outra, você se castiga ao fumar e se presenteia ao não fumar. Aos poucos, seu íntimo desenvolverá uma crescente irritação contra o cigarro, o que tornará a virada bem mais fácil.

5 – Desenvolver um fascínio pela independência. Se você tentar executar as sugestões do item anterior, terá a oportunidade de sentir na carne a dimensão da sua dependência em relação ao cigarro e à nicotina. E são duas as dependências, pois você poderá ficar aflito e ansioso apenas porque saiu de casa sem cigarros, mesmo que não tenha vontade de fumar! É diferente reconhecer intelectualmente que se é dependente de uma droga ou situação e sentir as coisas no próprio corpo. É diferente saber que se é viciado em cigarros e sentir aquela falta brutal apenas porque decidiu parar de fumar no meio da noite.

Costuma surgir um desejo enorme de se livrar dessa dependência. As sugestões propostas tornam a dependência mais incômoda e mostram com clareza o tamanho dela. Não é nada agradável se perceber tão dependente de objetos, como também não nos agrada uma dependência tão grande em relação a pessoas. Neste último caso, a situação é menos grave se a pessoa de quem dependemos também depende de nós; a dependência recíproca nos devolve algum controle sobre a situação. Mas depender de uma "coisa" e a coisa não depender de nós é demais!

A situação do viciado é, de fato, humilhante. Não adianta negar. Está bem, o cigarro traz alguns prazeres (não se conhecem pessoas viciadas em algo que seja só ruim), mas ficar assim rendido a uma coisa que solta fumaça, respirar a fumaça o tempo todo, justamente quando vivemos sonhando com o ar puro do campo, é coisa que ofende a inteligência de qualquer pessoa. E quais são os prazeres do cigarro? Não sei exatamente como responder a essa pergunta e duvido que você, leitor fumante, saiba. Há esse convívio antigo, esse companheirismo que substitui o prazer erótico inicial. Mas, do ponto de vista químico, as sensações físicas derivadas da inalação da fumaça ou são desagradáveis ou não existem.

Então, por que fumamos? Não me lembro quando nem onde li uma frase que define bem esse vício mais que ridículo: fumamos um cigarro para matar a vontade de fumar um cigarro; e, porque fumamos o cigarro, daqui a pouco a vontade de fumar outro forçosamente virá. Quando estamos viciados, fumamos apenas para fazer desaparecer a dolorosa sensação de não estarmos fumando. A nicotina pode não provocar grandes prazeres, mas parece que a sua ausência prolongada provoca grande desprazer ao organismo e, principalmente, ao psiquismo. **Fumamos para fugir do desprazer derivado de não fumar.**

Se pensarmos bem, é mais razoável a condição do alcoólico; pelo menos existem sensações prazerosas que derivam da presença do álcool no organismo; o mesmo vale para a maconha ou a cocaína. Vejam bem, não estou sugerindo que as pessoas substituam um vício pelo outro; apenas quero registrar que o vício do cigarro parece ser um pouco mais absurdo do que os outros. Bebemos para afogar as dores e para sentir alegrias. Fumamos apenas para afogar a dor de não fumar.

E, quanto mais fumamos, mais vontade temos de fumar. Precisamos parar com essa corrida atrás do nada que é o vício de fumar. Fumamos e a inquietação diminui; diminui por alguns minutos, para depois aumentar justamente porque não fumamos há alguns minutos. Isso não é uma vida digna. E esse processo de conhecer nossas fraquezas e limitações, quando bem entendido e aproveitado, determina o surgimento da tendência inversa; ou seja, provoca uma enorme vontade de conhecer o mundo das pessoas livres e independentes.

6 – Aproveitar uma hora oportuna e parar de fumar. A hora oportuna não é o primeiro dia do ano ou o dia do nosso aniversário. **A hora oportuna é a que corresponde ao crescimento de uma sensação interior de que se está pronto para a empreitada, e essa sensação interior deverá estar em sintonia com condições objetivas favoráveis.** Para que as plantas cresçam e floresçam é necessário que usemos boas sementes. Mas é necessário também que as plantemos exatamente na época do ano propícia para a semeadura daquele tipo de vegetal. Ótimas sementes poderão ser desperdiçadas se forem plantadas na hora errada. Na agricultura, como na vida, é absolutamente necessário ser paciente e humilde. As circunstâncias favoráveis surgem quando é chegada a hora, e não quando queremos que isso aconteça.

Declarei, páginas atrás, que considero o período de dois anos de preparação para que se esteja pronto para parar de fumar bastante razoável. Claro que cada pessoa terá um tempo de amadurecimento, e é provável que muitos leitores terminem de ler este livro e joguem fora seus maços. Isso não significará que sou um santo milagreiro, e sim que a pessoa já estava pronta para o pulo e o livro foi o empurrão que faltava. Para outros, o caminho será mais longo — e não há pressa alguma. O importante é saber que em algum momento do futuro se vai abandonar o cigarro. Esse momento aparecerá de modo claro, e aí é preciso aproveitar a oportunidade sem titubeios.

Muitas vezes nos sentimos mais aconchegados — e também vigiados e fiscalizados — quando paramos de fumar ao mesmo tempo que outros parentes, amigos ou colegas de trabalho. Podemos compartilhar nossas experiências, reclamar das mesmas dores. Sentimo-nos consolados e acompanhados nessa viagem triste que é a interrupção de uma ligação emocional, ainda que com um objeto. O fato de termos companhia pode atenuar a dor dessa perda: o cigarro é substituído por outros companheiros. Esse é um aspecto; o outro seria o de não querermos passar o vexame de ser derrotados pelo vício diante de outras pessoas, especialmente se elas estão conseguindo se sustentar longe do cigarro. Isso pode parecer uma jogada do tipo auto-enganação, uma estratégia barata. Mas acontece que parar de fumar é tão difícil e os primeiros dias são tão complicados que, para ultrapassá-los, vale tudo.

Dessa forma, uma ótima solução é as pessoas se reunirem e pararem de fumar na mesma ocasião, especialmente pessoas que convivem cotidianamente, que serão, ao mesmo tempo, companheiros e fiscais. Cabe apenas sugerir, outra vez aprendendo com quem mais entende dos vícios — os próprios viciados, principalmente os do AA —, que esses parceiros de viagem conversem sobre suas dificuldades e tratem de dar força uns aos outros. Palavras de estímulo e elogios recíprocos são muito bem-vindos nesse momento em que, insisto, vale tudo para conseguirmos sobreviver às primeiras horas e aos primeiros dias.

Ao parar de fumar, não é conveniente que se faça qualquer tipo de reflexão acerca de como será a vida dali para a frente nem como será difícil ultrapassar determinados problemas sem o auxílio do cigarro. A única coisa que deve ocupar nossa mente nessa hora é ser capaz de administrar as primeiras 24 horas sem o cigarro. Todo o resto deverá ser pensado em outro período. E, no segundo dia, o problema é o mesmo: conseguir ficar mais 24 horas sem fumar. E assim por diante, até que se esteja um pouco mais livre das primeiras tensões, para que se possa pensar com mais serenidade e clareza. Voltaremos ao assunto logo mais.

A uma pessoa mais organizada, que seja razoavelmente independente para organizar a agenda, **minha sugestão de hora oportuna ideal é a seguinte: parar de fumar no momento em que estiver intimamente pronto para isso e quando for acometido por uma forte gripe.**

Uma das piores coisas que acontecem a um viciado é ter de fumar quando as vias aéreas e os brônquios estão infeccionados e cheios de secreção. **É um momento particularmente mais fácil para parar de fumar porque o mal-estar é forte e os benefícios físicos por não inalar a fumaça são grandes. Com isso, já se passaram os quatro ou cinco piores dias da interrupção do vício. Se a pessoa puder, o ideal será tirar férias nos quinze dias posteriores, em algum lugar sereno e só fazendo coisas de que gosta — especialmente exercícios — e na companhia de pessoas que realmente lhe agradam. Condição objetiva melhor me parece impossível.**

7 – Estar preparado para grande sofrimento. Mesmo que respeitemos todos os itens anteriormente descritos e estejamos absolutamente determinados a parar de fumar, ainda assim passaremos por um período horrível e por algumas experiências dolorosas e difíceis. Isso se deve a vários fatores, que vão da necessidade de quebrar — com dor — a dependência física até questões filosóficas e metafísicas provocadas pela experiência de romper com o vício. É evidente que este último aspecto estará mais presente em certas pessoas do que em outras, mas algumas inquietações existenciais surgem enquanto estamos nos desgrudando do cigarro. Tais questionamentos quase sempre envolvem verdades dolorosas acerca da vida, da morte e da nossa posição diante desses fatos.

Quando estamos totalmente preparados psicologicamente para experimentar determinada condição que envolve sofrimento e dor, podemos passar para a ação. Achamos que dispomos de todo o equipamento para resolver qualquer tipo de dificuldade. Temos a impressão de que sabemos o que vai acontecer e de que não teremos nenhuma surpresa. Mas não é bem assim. A teoria é uma coisa e a prática é outra. Estar preparado teoricamente nos capacita para a experiência prática. E aí descobrimos que certas dores são maiores do que aquelas que estávamos esperando — mesmo quando tentamos ser bem pessimistas. Descobrimos, porém, que existem certas facilidades de que não suspeitávamos. Armados de todo esse arsenal de conhecimentos e de idéias, vamos agora aos fatos que se sucedem à interrupção do vício de fumar.

Os primeiros tempos sem o cigarro

1
um

Se você já parou de fumar alguma vez, poderá ter uma idéia mais clara do que vou descrever e dos horrores pelos quais se passa ao parar com o cigarro. Se você não é fumante, jamais poderá avaliar o tamanho do sofrimento; poderá ter uma medida aproximada se já foi viciado em alguma outra droga e a abandonou. Se você é fumante, nunca tentou parar de fumar e comprou este livro para ver se consegue fazê-lo, prepare-se para ler o pedaço mais doloroso e sofrido de todo o processo ligado ao vício do cigarro. O objetivo não é, em hipótese alguma, desanimá-lo. O obstáculo é difícil, mas já foi ultrapassado por vários milhões de pessoas só no Brasil. Ao contrário, penso que o conhecimento que você está acumulando tornará as coisas mais fáceis e mais definitivas quando chegar a sua vez de enfrentar essa decisão.

Pode ser que você ainda não esteja próximo do seu momento de parar de fumar. Mas, mesmo assim, peço que me acompanhe nesta viagem até o fim e saiba, com sinceridade e com verdade, tudo que vem pela frente. Descreverei o que se passa após a interrupção do vício de fumar, como se você já estivesse nesse ponto da travessia. Não faz mal que esse não seja o seu caso. Para melhor esclarecer o que se passa, volto a descrever minhas vivências a respeito do tema; reafirmo que posso usá-las com tranqüilidade porque minha prática clínica me ensina que ela coincide, em suas linhas mais gerais, com a história de vida de quase todas as pessoas que passam pela experiência de parar de fumar. É, pois, a minha história e também a estrada que você provavelmente trilhará.

Depois que voltei a fumar, nunca mais o fiz com a serenidade e a naturalidade de antes. Não me conformava muito de ter caído na tentação de retomar o vício, de ter sido seduzido pelo canto das sereias. Não me conformava também com os maus resultados que tive durante os nove meses de abstinência: engordei quinze quilos e não parei de pensar, com saudades, no cigarro um só dia. Na realidade, voltei a fumar em virtude dessas duas razões, aproveitando-me de um momento emocionalmente mais vulnerável. Propus-me a entender melhor o assunto e realmente consegui parar de fumar sem que isso implicasse tristeza eterna. Eu não queria ser como a maioria dos ex-fumantes, que confidenciam a falta que o cigarro lhes faz até hoje, mesmo quando já pararam de fumar há vários anos. Tinha de haver um meio, ainda que mais longo e difícil, de acabar de vez com o problema.

Fumei com culpa por sete ou oito anos, sempre tentando ler o que se publicava sobre o tema e ouvindo as pessoas falarem sobre o assunto. Colecionei idéias práticas, algumas das quais fazem parte da proposta que fiz no capítulo passado. Colecionei reflexões a respeito dos vícios, do cigarro em particular, e suas correlações com outros aspectos da vida interior. Estava fortemente empenhado em parar de fumar e conseguir fazê-lo sem ter saudades do cigarro. Respeitando a minha forma de ser, isso implicava um tempo de preparo e de "digestão" do que eu havia aprendido sobre os vícios em geral. Tinha de me preparar para o dia D, que eu já sabia que seria muito doloroso — foi assim na vez anterior em que parei —, mas também queria muito diminuir a dependência física da nicotina.

Paulatinamente, passei a fumar cada vez menos. De vinte cigarros, que era a minha média habitual, cheguei, no início de 1990, aos sete ou oito por dia. Nos fins de semana eu só fumava após o meio-dia e, nos dias úteis, após as 10h. Parava de fumar mais cedo à noite e isso me dava a impressão de facilitar o adormecer, coisa sempre um pouco difícil para mim. Durante uma viagem, comprei cachimbos novos e parei definitivamente com o cigarro. Senti pouca falta dele, pois estava feliz com as novas aquisições e com o "charme" que o cachimbo tem. Eu já havia fumado cachimbo antes e sabia que não teria muita paciência com seus problemas: entupimento, sujeira, apaga a toda hora, exala um líquido muito forte para o paladar, é difícil de carregar etc.

Tentava não inalar a fumaça do cachimbo, mas não conseguia. Aos poucos, achei que estava aumentando a dose de nicotina no organismo e não o contrário, como era o desejado. Podia voltar ao cigarro — o que me deixaria humilhado — ou parar com tudo. Dois dias antes de outra viagem, decidi pela segunda opção. Achei que era chegado o dia histórico no qual eu poderia iniciar a dolorosa peregrinação, mas que me levaria a um grande alívio interior.

Flávio Gikovate

Não me conformava, em hipótese alguma, em aumentar "deliberadamente" o meu risco de doenças graves; isso era inadmissível para mim, pois adoro a vida — apesar de todos os seus percalços — e sempre tive fascínio pela idéia da longevidade. Como pouco e direito, mantenho a disposição física graças a uma boa dose de exercícios diários, não bebo há vários anos; esse modo de vida não combinava em nada com o vício de fumar, de sorte que esse dia haveria de chegar.

Eu tinha me convencido, sempre de acordo com os ensinamentos do AA, que o grande empenho, nos primeiros tempos da interrupção de um vício, é em não pensar em médio e longo prazo e só concentrar a atenção no hoje. Tinha a certeza íntima de que, se eu fosse capaz de ficar 24 horas sem fumar, teria feito a parte mais difícil da minha travessia. E esse dia aconteceu numa terça-feira de abril, depois de várias tentativas nas quais eu acabei não resistindo até o fim do dia; essas tentativas foram feitas nas quatro semanas que antecederam o dia 10 de abril e, em dada hora do dia, vinha uma dor tão forte que eu não resistia. No dia D resolvi enfrentar essa dor para ver o que acontecia.

dois

Tenho quebrado a cabeça para encontrar uma forma de descrever essa sensação fortíssima associada à interrupção do vício de fumar, mas creio que não serei bem-sucedido nesta empreitada. **Não fui capaz nem de me decidir pelos termos: "desejo cortante" e "desejo lancinante" foram algumas das hipóteses que levantei para tentar transmitir a sensação que toma conta da gente por alguns minutos. Não consigo saber de onde e como ela nos chega; não sei se vem por causa da necessidade orgânica da nicotina ou se decorre do fato de termos decidido que não vamos mais fumar.** O que sei é que a pessoa pode estar passeando, trabalhando, entretida com assuntos interessantes, assistindo a um filme emocionante etc. e, de repente, aparece a sensação.

Ela chega e vai crescendo. Aos poucos, toma conta do corpo e da mente. Parece um calafrio, uma sensação do mais total descontrole físico e mental. É acompanhada de forte inquietação, tensão e irritabilidade. Do ponto de vista psicológico, a sensação é a depressão, mas uma forma de depressão que beira o desespero. Ainda que mal comparado, penso que as tentativas de suicídio em deprimidos graves devem acontecer quando sentem sensações similares às que estou descrevendo; é claro que, nesses casos, em virtude da própria doença, as defesas — oriundas da razão — da pessoa estão bastante fracas e por isso podem ceder ao desespero. A pessoa que se dispõe a parar de fumar, ao contrário, está no pico de força de sua razão; se isso não for verdadeiro, no primeiro episódio do tipo que estou descrevendo ela desistirá dos seus planos e acenderá um cigarro.

Calafrio, tensão física, irritabilidade e descontrole, depressão e desespero. Tudo isso "apenas" porque o indivíduo está há algumas horas sem fumar e se propôs a abandonar o vício. Serão sinais da dependência física da nicotina? Fazem parte da crise de abstinência própria dessa droga? É tão difícil responder a essa pergunta! Às vezes uma pessoa dorme bastante, fica doze horas sem fumar e não experimenta essas sensações. Outras vezes, sente quase o mesmo durante as duas horas que passa sem fumar no cinema — e quantos de nós já saímos durante a exibição de um filme interessante apenas para poder fumar um cigarro? **Tenho a impressão de que a existência de uma proibição, externa ou interna, é muito importante para o surgimento dessa terrível sensação de vontade incontrolável.**

Porém, mesmo respeitando a possibilidade de que os sintomas descritos não existam apenas devido à supressão de uma droga da qual se depende, acredito firmemente que uma parte do quadro corre por conta de uma espécie de crise de abstinência. As sensações são muito peculiares; jamais experimentei coisa parecida em mi-

Flávio Gikovate

nha vida — e já passei, como a grande maioria das pessoas, por quase todos os tipos de vivência altamente dolorosa. A dor derivada da interrupção do vício de fumar e inalar fumaça rica em nicotina é uma experiência única. O desespero é muito similar ao descrito pelos viciados em outras drogas. É muito forte e ilógico. Ele surge mesmo quando a pessoa quer muito parar de fumar e parece claramente ligado a um fenômeno físico. O vício do cigarro pode não trazer os prazeres fortes que outras drogas proporcionam; pode provocar malefícios apenas à saúde física — quando outras drogas prejudicam a vida psíquica — e em longo prazo; pode, pois, parecer bem menos grave do que os outros vícios. Porém, na hora de parar é que percebemos, com clareza indiscutível, que ele tem muito mais semelhanças do que diferenças com os outros vícios mais malvistos.

3 três

Preferi dar antes a má notícia. Não há nada pior do que o descrito anteriormente no caminho rumo à recuperação total. Agora é hora da boa notícia: se esperamos alguns minutos — três ou quatro, talvez —, esse "desejo lancinante" acompanhado de desespero vai embora e só voltará dentro de alguns minutos ou horas! Talvez volte com uma freqüência maior do que uma ou duas vezes por hora nos primeiros dias, para depois ir escasseando até desaparecer quase por completo ao longo de dois ou três meses. Ou seja, a sensação de desespero que muitas vezes nos leva a buscar correndo um cigarro não chega para ficar para sempre; assim como chega não se sabe de onde, a certa altura do mal-estar ela começa a desaparecer e nós voltamos ao estado normal.

Mas o fato é que tudo nos lembra o vício: o cinzeiro, o bolso vazio no paletó ou na camisa, o telefone, o café, as pessoas fumando à nossa frente etc. Nossa memória está repleta de situações pelas quais passamos acompanhados pelo cigarro. **Quase tudo que era importante na vida foi feito com o cigarro na mão ou na boca. Não sabemos viver sem ele. Não sabemos onde pôr as mãos e muito menos o que fazer com a boca. Sentimos saudades daquela "tragada" profunda e demorada que,**

Flávio Gikovate

parecia, nos acalmava e nos fazia refletir melhor. A falta é a do velho "amigo e companheiro", aquele que não nos decepciona nem jamais nos falta — até porque sempre providenciamos para que isso não aconteça!

Porém, para quem está determinado a parar de fumar, e também se preparou emocional e intelectualmente para isso, não há surpresa ou obstáculo que seja tão difícil de transpor. Quando já se passou o primeiro dia, mais o segundo e o terceiro, começa a surgir uma sensação muito agradável: parece que vamos ser capazes de atingir nossos objetivos. Ficamos superfelizes porque sabemos que o pior já passou. E mais: nós fomos capazes de resistir. **Nós vamos vencer a guerra terrível contra o vício e vamos nos tornar de novo ou pela primeira vez criaturas livres e independentes. Ou seja, a alegria da vitória se mistura com a tristeza e a depressão derivadas da perda do elo antigo e aconchegante. Nosso humor se torna instável; em certas horas predomina a euforia da vitória; em outras, a dor da saudade.**

Essa instabilidade, suportável e perfeitamente dentro de limites controláveis, será o estado permanente por, talvez, algumas semanas. De tempos em tempos, em intervalos crescentes, voltam o "desejo lancinante" e o desespero e descontrole que a acompanham. Mas agora ela já nos assusta menos, pois sabemos que esse estado passa logo. **Aliás, isso me lembra algo que li em um dos depoimentos de ex-fumantes que chegaram às minhas mãos: o indivíduo havia parado de fumar havia pouco e sofria desses ataques que descrevi; seu avô, que havia parado de fu-**

Flávio Gikovate

mar havia vários anos, certa vez, lhe disse o seguinte: "Veja só como são as coisas: se você está morrendo de vontade de fumar um cigarro, a vontade passa se você fumá-lo; porém, se você não fumar o cigarro, a vontade vai embora do mesmo jeito. Então, para que fumar?"

Esta é, a meu ver, uma das constatações-chave para o processo de ruptura com a dependência doentia que chamamos de vício. Tudo passa! Toda forma de dor é transitória quando falamos de dependências físicas ou psicológicas. Basta que se seja forte e suporte aqueles minutos terríveis. Aliás, o que vai acontecendo quando percebemos qual é o jogo e que temos meios de ganhá-lo é que podemos até querer que venha o desespero: começamos a sentir certo prazer em vencê-lo. "Pode vir que eu seguro!" A sensação de vitória é responsável pela alegria descrita acima. O número de dias, semanas e meses de abstinência é crescente fonte de gratificação e alegria, de sorte que o humor começa a se estabilizar mais para o lado da euforia, com espaço decrescente para a depressão e a saudade.

Depois de alguns dias ou semanas, penso que não devemos mais falar ou pensar em dependência física da nicotina. Esse aspecto da questão se resolve mais ou menos rapidamente e pode fazer que os ataques desesperados de vontade sejam bem menos dolorosos. Eles se transformam mais em ataques de tristeza do que de descontrole. Agora, a tristeza terá de nos acompanhar por algum tempo mesmo — ainda que se alternando com a euforia e, aos poucos, perdendo espaço para ela —, pois estivemos juntos com o cigarro por décadas a fio. Sendo verdade ou mentira, atribuímos à sua presença uma série de propriedades tranqüilizantes ou estimulantes; atribuímos ao cigarro nosso charme e sucesso com o sexo oposto, nosso ar sofisticado ou intelectual. Ele era parte do nosso corpo, ao menos da nossa imagem — e auto-imagem. Perdê-lo é como se tivéssemos amputado um membro!

Felizmente, quase tudo que atribuímos ao cigarro não vem do cigarro. Não é que seja mentira, que ele não cause isso ou aquilo. Ele era o causador porque atribuímos a ele nossas funções; e, depois disso, parece que as coisas vêm dele. Perdemos o cigarro e teremos de atribuir nosso charme a outra coisa — ou então a nós mesmos e ao nosso novo orgulho pessoal: o de termos sido capazes de parar de fumar.

A vaidade, o desejo de se destacar e de chamar a atenção como pessoa única e especial, certamente foi um dos mais importantes ingredientes de nossa tendência, durante os anos de adolescência, de nos fixarmos ao cigarro e estabelecermos uma relação viciante com ele. Agora teremos de recorrer de novo à vaidade como importante fator coadjuvante no processo de abandonar o cigarro. Atualmente, a comunidade médica e o Estado fazem de tudo para combater esse vício. Assim, hoje há lugares reservados para fumantes nos restaurantes. É proibido fumar em todos os locais públicos. Os fumantes são tratados como cidadãos de segunda classe, e isso não faz bem à vaidade de ninguém.

A vaidade, colocada agora a serviço de pararmos de fumar, pode ser entendida por dois aspectos: o primeiro

Flávio Gikovate

é o surgimento de um forte orgulho íntimo pelo fato de sermos capazes de atingir um objetivo tão desejado e que faz que a nossa conduta esteja de acordo com nossas convicções — esta é, a meu ver, a mais legítima e gratificante expressão da nossa vaidade. O segundo aspecto é social: gostamos de receber olhares de admiração, de desejo e de respeito; atualmente, isso acontece com mais facilidade quando não fumamos.

Quando deixamos de fumar, somos muito elogiados pelos não-fumantes, embora eles não tenham a mínima idéia do sacrifício que tal atitude nos custou. Somos elogiados também pelos ex-fumantes que querem o nosso bem. Estes podem ficar exultantes, pois já passaram pelo processo e conhecem o sofrimento envolvido; parece que a cumplicidade conosco aumenta, pois tivemos experiências marcantes em comum. Somos olhados com desconfiança ou descaso por muitos amigos e colegas fumantes; outros nos parabenizam sem entusiasmo; outros, ainda, fazem ironia e não perdem a oportunidade de dizer como estão felizes com o vício. Eu diria que se trata de uma oportunidade de ouro para estudarmos as reações humanas, especialmente aquelas relacionadas com a inveja!

quatro

Esse primeiro ingrediente da vaidade — o auto-orgulho pelas conquistas que aumentam a coerência entre pensamentos e condutas — tem forte efeito positivo sobre a auto-estima e também sobre a razão. A sensação interior é de vitória, de ter sido capaz de ultrapassar os obstáculos graças à força de vontade, graças à razão ter sido suficientemente forte para resistir aos apelos dramáticos do vício — que aparecem sob a forma do "desejo lancinante". Em condições normais isso gera uma sensação de bem-estar que faz que a depressão pela perda do elo doentio aos poucos desapareça. Essa é a reação mais comum. **Em alguns poucos casos a depressão predomina, e isso significa que a dependência psíquica de objetos — que, de alguma forma, sempre substituem pessoas — é mais importante do que tudo na vida interior desses indivíduos. Nesses casos, penso que existe a necessidade de um trabalho psicoterápico mais particularizado para que possamos entender por que as tendências para a integração são tão mais fortes do que aquelas para a individualidade e para a liberdade.**

No que diz respeito aos efeitos físicos ligados à interrupção do vício, pode-se dizer que os ganhos imediatos, especialmente nas vias respiratórias ou nos aspectos cardiocirculatórios, só poderão existir para os que já tinham limitações decorrentes do tabagismo. As bronquites crônicas — e asmáticas — melhoram quase imediatamente; a secreção em excesso, em condições normais, desaparece em pouquíssimas semanas. A sensação de bem-estar é enorme, mas em geral perde para a depressão que ainda predomina nesse período, dando a impressão de que o benefício não compensou o sacrifício. Porém, do ponto de vista circulatório, muitos cardiologistas acreditam que as mudanças de "hábito" — especialmente o parar de fumar — após uma cirurgia para implantação de pontes de safena são mais importantes para a boa sobrevida do que a própria cirurgia.

Sou do grupo de pessoas para quem o cigarro agia como um discreto estimulante — tanto que jamais fumei mais porque estivesse mais nervoso. Quando parei, senti que a freqüência cardíaca diminuiu bastante — de 75 para 60 batimentos por minuto — nas primeiras semanas, para depois se estabilizar em torno dos 68 batimentos. Senti sonolência durante o dia, algo absolutamente incomum para mim; isso por uns dois meses, e talvez em associação com a redução da freqüência cardíaca. Adormecer se tornou bem mais fácil e o sono, via de regra, melhor. Aliás, sugiro insistentemente aos fumantes com insônia que parem de fumar! Se quiserem fazer experiências antes, fumem o último cigarro pelo menos duas horas antes de ir para a cama e já perceberão boas diferenças.

Para aqueles para quem o cigarro é mais tranqüilizante, a irritabilidade e o nervosismo que se seguem à sua supressão são os sintomas predominantes. Nesses casos, a freqüência cardíaca poderá subir, e adormecer se tornará um pouco mais difícil nos primeiros dias. Talvez para essas pessoas seja interessante usar tranqüilizantes suaves durante alguns dias. Não tenho ouvido queixas do tipo prisão de ventre, nem mesmo de pessoas que antes só eram capazes de evacuar depois do café e do cigarro. Gastrites costumam melhorar logo após a interrupção do vício. Às vezes, temos reações imaturas, curiosas regressões e procedimentos infantis: sentimo-nos "heróis" por parar de fumar e esperamos tratamento "condigno" com essa condição; se somos tratados normalmente, isso poderá atiçar muito a irritabilidade. Outras vezes, a regressão depende do raciocínio oposto: sentimo-nos tão prejudicados e frustrados pelo fato de ter parado de fumar que precisamos de todo tipo de atenção especial — exatamente como acontece quando uma criança fica doente! É claro também que tais comportamentos regressivos são mais intensos e freqüentes nas pessoas mais imaturas e egoístas, criaturas que querem atenções especiais e agrados mesmo quando não há nada de extraordinário acontecendo na vida delas.

cinco

Um bom indício de que a pessoa parou de fumar quando estava pronta para isso é não aparecerem tendências para drásticas substituições de um vício por outro. É interessante que cada um de nós, durante os primeiros meses que sucedem o fim do elo com o cigarro, fique atento para esse risco. É interessante prestar atenção ao modo como nos relacionamos com o álcool; devemos impedir que a ruptura de um elo abra espaço para o estreitamento de outro semelhante; devemos nos empenhar até para ingerir menos álcool do que o usual, pois às vezes, alcoolizados um pouco além da conta, podemos fazer a asneira de dar "só uma tragadinha", e isso poderá jogar por terra todo o esforço de semanas ou meses. Sempre é bom repetir que quem já foi viciado em alguma droga não deve nem chegar perto dela, sob pena de rápida recaída.

Algo comum durante os primeiros meses da supressão da nicotina é o ganho de alguns quilos. Isso se deve, em princípio, à redução do metabolismo derivada da ausência da droga estimulante. Nesse caso, o ganho de peso é lento e há uma tendência de o peso se estabilizar em 7 a 8 quilos a mais. Algumas pessoas ficam bastante felizes, ao passo que outras podem se ressentir muito desse ganho extra, difícil de ser removido. Minha sugestão é aumentar a quantidade de exercícios imediatamente antes ou logo após a interrupção do vício de fumar: é o melhor caminho para impedir esse contratempo.

Outras pessoas param de fumar e saem comendo desbragadamente, sobretudo doces. Ganham peso rapidamente e dão a impressão de que substituíram uma atividade oral por outra igualmente gratificante. Essa impressão provavelmente corresponde a algo extremamente importante da relação de muitos vícios, inclusive o do cigarro, com a boca e suas funções amorosas durante as primeiras semanas e os primeiros meses da vida. É pela amamentação que nos sentimos próximos da reconstrução da simbiose perdida com o nascimento. É pela alimentação que nos sentimos menos desamparados também durante a vida infantil. Isso sem falar da chupeta, já citada como o "primeiro vício", ou seja, a primeira substituição de uma figura amorosa humana por um objeto. Dessa forma, é fácil compreender por que a comida — especialmente os doces — costuma ser o substituto mais comum do vício de fumar.

É preciso combater esse novo vício, e o caminho é compreender o processo de busca de aconchego e amparo por meio de relações com objetos. Entender que essa não é a solução eficaz significa buscar atenuadores para o desamparo em relações afetivas humanas, no aprimoramento das reflexões místicas e religiosas, na busca de grupos de referência com os quais possamos nos identificar. **Porém, devemos também procurar desenvolver nossa individualidade, de sorte a precisar cada vez menos desses ate-**

nuadores externos. **Talvez tenhamos dificuldade de atingir a plenitude em nós mesmos; mas não devemos deixar de buscar uma auto-suficiência cada vez maior.**

Parece que a boca é um problema para quase todos nós. Poucas pessoas não passam o dia fumando, mascando gomas, tomando cafés e refrigerantes ou chupando balas. Parece que essa parte do corpo tem, em virtude de nossa história, forte relação com questões afetivas e atenuações de mal-estares. Não é à toa que beijo é tão importante em nossa vida afetiva! Minha experiência pessoal, nas duas vezes que parei de fumar, confirma esse fato tão comum: na primeira vez não parei de chupar balas, especialmente as de menta. Na última vez, resolvi prestar mais atenção no assunto, com pavor de ganhar peso.

É evidente que o paladar e o hálito são bem mais agradáveis quando não fumamos. Mas falta alguma coisa! O curioso é que não senti falta do cigarro nas mãos — é verdade que já vinha fumando muito pouco antes de parar — nem do maço no bolso. Mas, quanto à boca, não foi fácil. Tomando o cuidado de não enchê-la com balas, percebi que nessa região o "desejo lancinante" do cigarro aparece de forma mais aguda. Há uma insatisfação oral brutal, que parece só se resolver com o cigarro ou um doce. **Hoje estou convencido de que existe uma "inquietação oral", que parece se resolver com o cigarro para quem é viciado nele, mas apenas por alguns minutos, tanto que volta e pede mais cigarro.**

Na realidade, penso que a "inquietação oral" é anterior ao vício do cigarro e independente dele. Confunde-

se com ele e, quando paramos de fumar, parece que ela foi criada pela falta do cigarro. Qual o quê! Estamos diante de uma questão muito maior do que o vício do cigarro, de algo que terá de ser muito bem entendido se quisermos realmente fazer parte do grupo de pessoas que não sente saudade das baforadas e da fumaça. Penso que isso é essencial para a pessoa ter certeza de que não fumará mais em hipótese nenhuma, nem se inventarem um cigarro que faça bem à saúde.

Admitindo a existência dessa "inquietação oral" como fenômeno independente que fica mais claro quando paramos de fumar, é mais ou menos fácil compreender por que as pessoas, ao romper com o vício, se interessam pelos chicletes com tanta freqüência. Mastigar interminável e vorazmente pode ajudar a atenuar essa inquietação; ela existe, a bem da verdade, em quase todo mundo, e é provável que, se não existisse a "inquietação oral", não existiria a chupeta e muito menos a goma-de-mascar. Se a inquietação diminuir, poderá ser menor a vontade — ou a necessidade — de fumar cigarros. Logo, é uma boa forma de atenuar o sofrimento oral. É evidente que o uso de gomas-de-mascar com nicotina reabre a questão da importância das dependências física e psíquica. Se a primeira é predominante — e em muitos casos acredito que seja —, acho que gomas-de-mascar com nicotina poderão ajudar, desde que usadas por certo número de semanas. Se a dependência maior é a psíquica e a inquietação oral está relacionada diretamente com ela, qualquer goma-de-mascar prestará igual serviço.

A questão do "nunca mais"

1
um

Não é fácil definir quando terminam os primeiros tempos da supressão do cigarro e quando começa a segunda fase, a da consolidação definitiva da difícil conquista. O problema é o mesmo nos outros vícios, e o tempo de recuperação é extremamente variável. **Podemos dizer que a primeira fase está completa e consolidada quando o "desejo lancinante" de fumar desapareceu. Há saudades do cigarro, mas a pessoa é capaz de se esquecer dele por várias horas.** É difícil passar um dia inteiro sem pensar no cigarro, pois ele é assunto muito constante na vida cotidiana de todo mundo. Acho que os não-fumantes também pensam nesse tema todo dia! Só não pensariam se estivessem em algum "paraíso" onde fumar — e falar sobre o tema — fosse proibido.

Talvez pudéssemos dizer, apenas para dar uma referência, que o tempo de concretização da primeira fase é de três a seis meses. Não há mais sinais de dependência física. A respiração certamente melhorou e o pigarro matinal desapareceu. A disposição física é maior e a pessoa, no limite do vigor de alguma atividade atlética, nota isso claramente. O paladar e o olfato voltam ao normal. Não há mais cheiro de nicotina nas mãos, nas roupas, nos cabelos. Não há mais camisa furada por palitos de fósforo nem tapetes perfurados por cigarros acesos. Os bolsos estão vazios e isso é uma grande vantagem.

Aliás, é muito importante que falemos das vantagens, pois elas aparecem quando a vontade de fumar não está mais tão forte. **Já vemos mais vantagens do que perdas, e esse é um bom indício de que entramos na segunda fase do processo de recuperação.** Outra grande vantagem é não sentir quase nenhuma vontade de fumar em situações antes muito sofridas para os viciados. Nos filmes de longa duração não há mais nenhum tipo de desconforto parecido com o de antigamente. Quando o avião demora a decolar ou o trajeto se torna mais longo que o esperado, quanto desespero o viciado sente! O mesmo acontece quando a visita a um doente no hospital se prolonga demais, quando um convidado detesta o cheiro do cigarro, quando estamos em alguma sala de espera em que fumar é proibido ou mesmo na casa de amigos que, com freqüência, exibem aqueles enormes e irônicos avisos de "NÃO FUME".

Depois desses três a seis meses fundamentais e decisivos, as chances de que a pessoa volte a fumar são muito pequenas, a não ser que ela se coloque no grupo dos que "digeriram" mal o fato de ter de parar com o vício e, ainda por cima, esteja passando por experiências que provocam grande desequilíbrio emocional (divórcio, mudança de país, perda de emprego etc.). Para estas, o equilíbrio é mais instável. E, mesmo quando estão sem fumar por vários anos, sempre lembram com grande saudade do vício e do seu "lado bom". Entretanto, o cigarro, como vimos, em vez de provocar por si algum prazer — como o efeito do álcool —, apenas subtrai, por alguns minutos, o desprazer derivado da vontade de fumar, e é preciso que se pense bem, pois a saudade pode não ser do cigarro em si.

A maior parte das pessoas ainda pode sentir certo desconforto, tanto nas mãos como na boca, depois de seis meses de abstinência. É como se estivesse faltando alguma coisa. E essa sensação vem de vez em quando; vem no lugar do "desejo lancinante" que não aparece mais. Aí é só pensar um pouco para perceber que não está faltando nada. **Ou então, se alguma coisa está faltando — e, de certa forma, sempre está —, essa coisa não é exatamente o cigarro. Nós é que aprendemos a relacionar com a falta do cigarro a sensação de incompletude que nos é peculiar. Talvez, quando fumávamos, o fim da vontade de fumar tivesse se associado ao apaziguamento da incompletude; dessa forma, quando paramos de fumar e sentimos a incompletude, pensamos que o cigarro poderia nos "salvar" dela.**

Na realidade, não há cigarro, álcool, maconha, cocaína ou jogo de azar que resolva nossas questões existenciais mais dramáticas e marcantes. O que acaba acontecendo é que os conflitos existenciais entram em sintonia com os vícios, reforçam estes e se reforçam por causa deles. Aí se constroem "círculos viciosos" que nos afundam cada vez mais do ponto de vista existencial e, como regra, ainda nos destroem a saúde física. O prejuízo à saúde física ou mental acaba de minar nossa auto-estima, deixando-nos sem condições para observar criticamente nossa problemática existencial, o que reforça definitivamente os vícios. A morte precoce parece ser o único dado certo para quem entra nesse processo.

Apesar deparecer estar faltando algo, sensação que nos ocorre algumas vezes por dia, talvez a razão pela qual mais vezes lembramos do cigarro seja para nos regozijar e nos orgulhar de ter conseguido parar de fumar. Contamos isso a todo mundo, e contamos como um grande feito. Os fumantes reagem com admiração ou inveja. Os não-fumantes subestimam nossa façanha. Mas a verdade é que adoramos contar que já faz nove meses que não fumamos. Diríamos com maior precisão: nove meses, vinte dias e quatro horas! Não porque estamos sofrendo tanto pela falta do cigarro, mas sim pela satisfação íntima de termos sido capazes de ultrapassar um obstáculo que, durante anos, parecia intransponível.

dois

A vaidade, componente essencial da sexualidade, precisa ser muito bem entendida. Ela está comprometida com a individuação — a construção da individualidade —, uma vez que o seu objetivo é o destaque, o ser diferente e especial para chamar a atenção e atrair olhares de admiração ou desejo. Ninguém poderá se destacar se estiver sempre fazendo parte de grupos maiores. A vaidade pede que sejamos, ao menos de vez em quando, os solistas, e não apenas mais uma voz do coral. Podemos dizer que a busca de destaque corresponde a um esforço de desenvolvimento pessoal, de modo a ter algumas propriedades capazes de chamar a atenção.

Esse é um lado da questão. O outro lado é que o indivíduo se destaca em determinado grupo quando é capaz de colecionar propriedades valorizadas por esse mesmo grupo. Se observarmos a questão desse ângulo, veremos que a vaidade nos prende ao grupo, nos faz escravos das suas convicções do que é bom e belo. É verdade que chamamos a atenção das pessoas também por agir contra seus valores; mas aí atraímos olhares de desprezo e de desconsideração, que não é o que desejamos. Analisando as duas opções, acabamos buscando nos destacar de acordo com os padrões do grupo ao qual nos referimos.

Flávio Gikovate

Somos livres, mas só em termos. É evidente que, se considerarmos os valores do grupo ao qual pertencemos, buscar o sucesso segundo os seus padrões coincide com nossa convicção; nesse caso, somos livres de verdade. Já me referi à questão do cigarro durante os anos da adolescência: a "discreta proibição" familiar faz que o jovem se considere especial e destacado da família pelo fato de fumar. Ao mesmo tempo, ele está integrado no seu grupo de amigos pelo mesmo fato — esse grupo se une, entre outras razões, para se opor à família, modo não muito sofisticado de os adolescentes buscarem a independência.

Em virtude de como eram as propagandas de cigarro e de bebida, e também do modo sutil como essas drogas eram veiculadas, principalmente pelo cinema norte-americano, fumar era tratado como um ato erótico, como sinal de ser adulto, sensual e irresistível. As mulheres que fumavam davam indicações de ser sexualmente mais livres e ousadas. Sim, porque as coisas eram muito diferentes até há poucas décadas. Lembro-me, quando criança, de ter ouvido expressões escandalizadas de pessoas que voltavam da Europa e contavam que, em Paris, as mulheres fumavam na rua. Dessa maneira, quando um rapaz colocava um maço de cigarros no bolso, tinha uma sensação erótica similar à que sentiu quando ganhou um relógio novo ou um adorno corporal qualquer: ele havia se tornado especial. Não é à toa que tantos insistiram em querer fumar, mesmo com a tosse e o mal-estar que as primeiras tentativas provocavam.

Cigarro: um adeus possível

Flávio Gikovate

Não é à toa que tantos de nós nos viciamos rapidamente. Afinal, que jovem não quer se sentir atraente, especial, adulto, sedutor e sensual?

Se a vaidade contribuiu tanto para que nos viciássemos, nada mais lógico do que tentar usar suas forças para acabar com o vício e, principalmente, com os novos dependentes do cigarro. Sendo verdade que o desejo de se destacar está ligado aos valores do grupo social, se este passar a desenvolver uma visão negativa em relação ao cigarro, dificilmente nossa vaidade poderá pretender se exercer por aí. Especialmente quando essa inversão de valorização está fundamentada em indiscutíveis constatações dos efeitos nocivos — de fato, mortais a longo prazo — do uso do tabaco. Sim, porque nessas condições a nossa convicção íntima estará em sintonia com o novo valor social, provocando uma tendência mais forte para que a vaidade mude de lado.

E é nessa direção que têm se encaminhado sociedades mais bem organizadas e mais desenvolvidas do que a nossa — que as acompanha com certa lentidão. De repente, fumar virou uma coisa *out*; ser fumante virou cafona. Em certos países, praticamente não existe mais nenhum médico que fume. No Brasil, conheço vários cardiologistas que ainda fumam. O fato de os médicos se disporem a parar de fumar é de grande importância social, uma vez que as pessoas tenderiam a acreditar mais nos comprovados malefícios do cigarro. Aliás, um dos meus objetivos com este livro é apressar essa inversão da vaidade, agora tomando a dianteira da luta contra o vício do cigarro.

Assim, penso que os próprios fumantes deveriam ser muito favoráveis às leis que extinguem o uso do cigarro em locais públicos. Na realidade, eles são os maiores beneficiários dessa inversão da vaidade, pois se sentem humilhados pelo fato de ainda fumar. Se o vício se beneficiou da sensação de destaque que o cigarro um dia provocou, é claro que, se o fumar passar a gora a ser associado com sensações de humilhação e de inferioridade, com o tempo a pessoa tenderá a desejar intensamente se livrar do vício. Usamos o feitiço contra o feiticeiro: o mesmo ardil que nos ajudou a nos viciar poderá ser útil no combate ao vício.

Fica claro, pois, o meu ponto de vista a respeito da propaganda social contra o cigarro, tornando cada vez mais difícil a vida dos fumantes: sou absolutamente a favor desse procedimento. Aliás, lamento que não se estenda esse tipo de reflexão para o alcoolismo, para o vício do jogo, para os bacanais gastronômicos, para a conquista erótica desenfreada, para as drogas mais pesadas etc. Não estou falando em proibições; estas só poderão ser feitas a pretexto de preservar o direito dos abstêmios — e nisso a fumaça do cigarro e seus eventuais malefícios aos não-fumantes permitem que haja um grande combate social a ele. **Devemos nos colocar contra os vícios. A vaidade terá de privilegiar a saúde, a independência, a força interior, a coragem etc. Ela pode privi-**

legiar o que desejamos. Então, por que não nos orgulharmos e tentarmos nos destacar por atividades e feitos construtivos, positivos para nós e para nossos semelhantes? Está bem, a vaidade sempre existirá, mas que se exerça a nosso favor e a favor do que nos faz crescer. E, ainda assim, dentro de certos limites; aliás, ter bom senso também poderia estar incluído nos itens que alimentassem a vaidade!

A transferência da vaidade para o não fumar — ser especial é não ser fumante, principalmente para um ex-fumante — consolida e alegra o fato de termos parado com o vício. O orgulho de termos vencido uma batalha duríssima — forma mais que legítima da vaidade — se soma à sensação agradável de sermos parte do subgrupo prestigiado dos não-fumantes. Podemos finalmente freqüentar essa área nos restaurantes. Não precisamos sair correndo do cinema, ávidos por uma tragada. Não precisamos mais passar por humilhações subjetivas nem objetivas. **A honestidade intelectual, resgatada quando nos tornamos mais fortes do que o vício, também endossa todo e qualquer sacrifício que fizemos para ser mais independentes. E endossará novos sacrifícios desse tipo se precisarmos enfrentá-los de novo.**

Assim, acredito que só os que pararam de fumar de modo muito precipitado é que poderão ter algum arrependimento ou mesmo certa depressão por se acharem, por isso, prejudicados na vida. O bom senso, a vaidade (e olha que esses dois ingredientes da nossa subjetividade raramente andam juntos!), a saúde, o meio social, tudo enfim conspira a favor do fim desse vício. O que me surpreende é que, apesar de tudo, ainda existem adolescentes aderindo a esse ritual ridículo.

três

Vão se passando os meses e os anos. A lembrança do cigarro é cada vez mais vaga. Como ele esteve associado a tantos períodos e tantos eventos da vida, pode ser que a saudade dele venha quando pensarmos nos "tempos que não voltam mais". **Sobra uma saudade do cigarro — de seus aspectos bons, é claro. São nostalgias do que já foi vivido, das horas boas, dos eventos importantes. Não adianta negar, o cigarro foi parte integrante e íntima da vida, e é como se fosse algo muito querido e fortemente associado a aconchego, segurança e bem-estar**, independentemente de quais sejam os efeitos químicos da nicotina em cada pessoa.

O cigarro chega até nós pela via da vaidade e da vontade de nos tornarmos independentes da família, mas muito rapidamente se transforma numa versão adulta da chupeta — o charuto e o cachimbo, então, nem precisam de maiores explicações! Quando nos sentimos inseguros e desamparados, precisamos acender um cigarro. E o mesmo acontece quando estamos bem e relaxados; queremos completar o bem-estar com esse ritual oral. É bom que se entenda que não fumamos apenas por causa disso. **Fumamos também para atenuar a vontade de fumar. Do mesmo modo que acontece com todos os outros vícios,**

Flávio Gikovate

o cigarro está a serviço de múltiplas funções emocionais, mas fumamos hoje porque estivemos fumando ontem e nos dias, meses e anos que antecederam o ontem. Um adolescente toma um copo de bebida alcoólica para se sentir mais desinibido e com mais coragem de abordar uma moça. Mas, vinte anos depois, estará bebendo porque já se viciou e aí poderá fazê-lo mesmo quando estiver sozinho — sem, portanto, nenhuma razão ligada à timidez para justificar sua atitude, que agora será puro vício.

E o que acontece com o desamparo, que jamais nos deixa em paz? Infelizmente, penso que é assim mesmo e assim será. À medida que crescemos de forma sadia, vamos nos tornando cada vez mais fortes e independentes de nossos pais e de todos os adultos que nos cercam. Ficamos mais auto-suficientes. Cresce nossa autoconfiança e podemos cada vez mais contar com nossas forças para as batalhas do dia-a-dia. E vejam que coisa terrível: à medida que crescemos e temos força e conhecimento suficientes para resolver adequadamente as questões do cotidiano, nossa capacidade intelectual, agora ampliada, reflete sobre a vida e não pode deixar de constatar que fomos abandonados também pelos deuses.

Quando dominamos o desamparo físico, sucumbimos ao desamparo metafísico. Dessa forma, desamparo é a sensação com a qual teremos de conviver, de um jeito ou de outro, para sempre. A sensação é difusa, é uma "bola" no estômago, espécie de tontura e sentimento de perda das referências. Vem junto com grande angústia, de sorte que quase todos estamos dispostos

a fazer qualquer tipo de concessão para que a sensação vá embora. Drogas e rituais que nos façam sentir, por qualquer razão, mais aconchegados, são bem-vindos de imediato, especialmente nos períodos mais dramáticos da vida — dos quais a adolescência é um dos exemplos mais marcantes.

O desamparo, enfrentado de verdade, nos remete a questões místicas e religiosas, fazendo-nos pensar em coisas cujas respostas desconhecemos: de onde viemos? Para onde vamos? Qual o sentido da vida? Sabemos perguntar e não conseguimos responder a tais questões porque não temos inteligência suficiente para isso.

Enfim, não é o caso de avançarmos nesses assuntos. Apenas os registrei para enfatizar o fato de que muitas pessoas que se afastam das drogas acabam se aproximando da religião (coisa que o AA de certo modo estimula, e não sem alguma razão). Não devemos pensar, precipitadamente, que a religião chega a substituir antigos vícios, que será o novo "ópio". É que o tema do desamparo está na raiz dos vícios e também é a razão maior para a utilização da nossa inteligência na direção mística; a supressão dos vícios abre o caminho para a abordagem mais séria e profunda do desamparo, e é isso que está na base das reflexões honestas e consistentes acerca das concepções religiosas.

Penso que se formos capazes de entender bem a relação entre o ato de fumar e a atenuação do desamparo podemos separar o que seja a saudade do cigarro da "inquietação oral" que sobra depois de pararmos de fumar.

Cigarro: um adeus possível

Flávio Gikovate

Quando o vício do cigarro se confunde com a inquietação oral, acabamos cometendo um erro de reflexão que deixaria qualquer sofista grego com os cabelos em pé: podemos concluir que quem causa o nosso desamparo é a supressão do cigarro! Pode parecer absurdo, mas é assim que sentimos nos primeiros tempos depois que paramos de fumar. A etapa posterior, essa à qual estamos nos referindo, tem como função muito importante desfazer tal absurdo.

    E o resultado desse trabalho de análise e busca da verdade é o seguinte: do cigarro, da nicotina, dos rituais sobra apenas uma pequena saudade, equivalente à que temos de certos períodos da vida. A inquietação oral terá de ser definitivamente dissociada da falta de cigarro e atacada com objetividade. Ela tem relação com vícios mais antigos que o próprio cigarro, como a chupeta, as gomas-de-mascar e os pirulitos da infância. Tem relação direta com questões metafísicas e religiosas, pois se liga ao desamparo da condição humana que sentimos desde o nascer e a partir de então tentamos atenuar com a boca. A reflexão religiosa e o esforço de entendimento da nossa condição poderão atenuar um pouco o desconforto oral; vale tudo, menos o uso de qualquer tipo de droga. Vale, inclusive, pensar em construir relações humanas e, em particular, elos amorosos consistentes e sadios. Poderemos substituir o cigarro pelo beijo!

Quero levantar mais uma questão sobre o que acontece em longo prazo com as pessoas que deixam de fumar. **É a sensação terrível de tristeza e de pânico que aparecem quando pensamos que "nunca mais" colocaremos um cigarro na boca, nunca mais inalaremos aquela fumaça que "arde agradavelmente" na garganta, nunca mais poderemos fazer pose de galã ou de vilão, dependendo de como colocamos o cigarro entre os lábios. Nós detestamos a expressão "nunca mais".** Tudo tem de ser provisório; é mais suportável a idéia de uma dieta rigorosa e escassa em calorias por algumas semanas do que qualquer alteração "definitiva" dos hábitos alimentares. O pânico do diabético está, entre outras coisas, associado à idéia de que "nunca mais" poderá comer doces livremente.

É curioso, mas tudo que é definitivo, tudo que "nunca mais" deveria acontecer traz um terrível calafrio na espinha e a combinação de tristeza e pânico. Essa sensação acaba sendo mais um fator que torna a renúncia ao cigarro difícil — e por isso mesmo justifica uma adequada maturação preliminar. Parar de fumar por uns tempos certamente seria mais fácil, ao menos como idéia. A idéia do definitivo é mais dramática ainda para os jovens; parece que, com o passar dos anos, nos tornamos mais dóceis em relação a isso, pois não temos escolha. Vemos os cabelos embranquecer ou cair. Perdemos dentes. Vemos a pele se encher de rugas e manchas. E tudo isso é definitivo. Aprendemos a conviver com docilidade com as coisas que deixam um adulto jovem em pânico. Não podemos deixar de reconhecer certa sabedoria nesse processo de progressivas perdas, atitude que nos prepara, aos poucos, para o que está por vir.

A simples idéia de que "nunca mais" fumaremos nos faz lembrar que somos mortais. E isso é algo que tentamos esquecer a maior parte do tempo, especialmente nos anos da juventude, quando ainda não temos estrutura para pensar sobre o assunto. Não gostamos de pensar na morte porque adoramos a vida. Porque temos muitos elos afetivos que nos prendem à Terra. Porque a solidão que ela nos evoca parece muito assustadora. Porque não sabemos o que vem depois dela e que destino — se algum — nos é reservado. Essas razões todas nos deixam muito tristes quando pensamos na questão da morte. Mas a morte também nos provoca medo, muito medo.

E por que haveríamos de ter tanto medo da morte? Afinal, nada sabemos sobre ela e o pouco que se depreende — relatos de pessoas que "quase morreram" e voltaram à plena consciência, expressão facial das pessoas mortas etc. — nos permite supor que a morte é paz, repouso, serenidade. O medo da morte poderá prejudicar nossa qualidade de vida, manifestando-se na forma de pavor de doenças, de medo de atingir uma sensação de paz e estabilidade; sim, porque nesses casos existe o medo enorme de que essa sensação agradável seja interrompida pela morte — nossa ou de pessoas muito especiais. **Volto a perguntar: por que tanto medo da morte e por que tanto prejuízo da vida por causa disso?**

A resposta, para mim, está no nascimento. Acho que transferimos para a morte — transição que desconhecemos — os pavores que passamos ao nascer. Se os mortos têm rosto sereno, os recém-nascidos estão com todos os sinais de pânico. E não é para menos: vieram da proteção total, do paraíso, para o mundo cheio de desconfortos e torturas. Mas nós não sabemos nada acerca da morte, se vamos para um mundo melhor ou pior, se vamos para algum lugar. Assim, colorimos nossa ignorância com as vivências que ficaram em nós da outra transição dramática, que foi o nascer. Projetamos para a morte o pânico que sentimos ao nascer e ficamos com pavor do que desconhecemos. É melhor pensarmos mais nesse assunto, pois isso poderá nos ajudar a superar o último obstáculo antes da radical extirpação do vício de fumar.

A superação do "nunca mais" nos ajuda a rever também todos os outros vícios. É evidente que esse assunto, sendo mais doloroso para as pessoas jovens, é um dos obstáculos terríveis para a recuperação dos graves viciados de pouca idade que precisam de muita ajuda para superar tudo que têm pela frente. Insisto que a maior parte das pessoas só pensa seriamente em parar de fumar depois dos 40 anos de idade, e nessa fase da vida já estão em con-

Cigarro: um adeus possível
Flávio Gikovate

dições bem melhores para enfrentar a questão. Mas os viciados em cocaína, que aos 20 anos precisam renunciar à droga para "nunca mais" voltar a ela, terão de passar por maus bocados pensando sobre a questão da morte nessa fase da vida. É evidente que esse tema, assim como o do desamparo, nos remete aos assuntos místicos e religiosos que de alguma forma costumam participar dos processos de recuperação de viciados em geral.

Superados todos os obstáculos e cicatrizadas todas as feridas, finalmente poderemos chegar até onde poucos conseguiram no passado: o desaparecimento total da vontade de fumar e, principalmente, o desaparecimento total do próprio orgulho de ter conseguido fazê-lo. O vício ficou longe na memória, catalogado apenas como um grande equívoco da mocidade. Não há também mais nenhum ressentimento e revolta, do tipo que costuma fazer que muitos ex-fumantes sejam ferozes inimigos de tudo que diz respeito ao cigarro. **Sobra uma grande indiferença. A boca deixa de ser um órgão que reflete assuntos existenciais. Apenas cumpre suas múltiplas funções fisiológicas. O desamparo e a insignificância continuam a existir e a nos maltratar de vez em quando, mas o cigarro fica definitivamente fora disso. A luta continua e os problemas também; com tudo isso, crescemos mais um pouco e o cigarro foi para o seu devido lugar: o esquecimento.**

Conclusões e sugestões

Ainda hoje, vez por outra, ouvem-se alguns artistas defendendo o uso de drogas. Dizem que aprenderam muito com elas, que ficaram mais emotivos, sensíveis, compreenderam mais profundamente as questões da vida, que elas "abriram sua cabeça". É uma lástima que digam isso. Além de não ser verdade, ainda pode ser importantíssimo fator de indução de jovens aos vícios em geral. E esses novos viciados estarão adentrando um mundo "superior", só conhecido pelos iniciados. Aliás, esse era o discurso pró-droga dos anos 1960. Essas afirmações estão, além de tudo, defasadas no tempo, pois já sabemos que não é nada disso o que acontece, e sim a deterioração da personalidade, forte tendência para a mentira, a preguiça e a inércia, além de eventuais danos para a reflexão moral. Isso quando não existem prejuízos orgânicos irreversíveis.

Mas uma coisa é certa: **se o vício não nos ilustra em nada, o esforço que teremos de fazer para abandoná-lo nos ensina coisas fundamentais!** E, desse ponto de vista, o processo de parar de fumar é muito parecido com todos os outros tipos de interrupção de dependências físicas e psicológicas de drogas. A crise de abstinência é brutal e dramática. A única vantagem em relação a

outras drogas é que dispomos da razão intacta — apensar da existência de alguns pensamentos traiçoeiros.

Assim, os passos descritos neste livro, que agora tentarei sintetizar, correspondem aos que todos os viciados percorrem para entrar em contato com suas drogas, com pequenas variações. Lançam as bases de algumas formulações teóricas que explicam a predisposição aos vícios e as fases da vida em que isso é mais provável de acontecer. Propõem um longo e difícil caminho para a saída e para a completa recuperação da individualidade. Esse longo caminho pode parecer um tanto exagerado para um vício tão simples como o do cigarro, mas não é. A recuperação é dificílima — tanto assim que, no Brasil, continuam a existir dezenas de milhões de fumantes, apesar de todos saberem dos malefícios do cigarro.

É evidente que, quando adolescentes, deslumbrados com a idéia de que o cigarro nos dá uma silhueta erótica e amadurecida, jamais poderíamos supor as dificuldades que nos estariam esperando vinte ou trinta anos depois. As turmas que se reuniam nas esquinas dos bairros ainda calmos de São Paulo dos anos 1950 ficavam a tagarelar e a contar mentiras a respeito da vida sexual. Eram turmas só de rapazes, pois naquele tempo as moças não participavam desse tipo de atividade — havia, é claro, algumas exceções, das quais sempre se falava muito mal. Afastados das famílias, que "não os compreendiam", eram solidários entre si. Fumavam cigarros sem filtro, exatamente como os astros de cinema que tanto os seduziam. Fumavam e falavam de si, de seus sonhos e fantasias. Eram amigos. Só mentiam a respeito de sexo; não gostavam de reconhecer seus medos e inexperiências.

Nos bailes, a situação era trágica. Os jovens tinham de abordar as moças e podiam ser recusados. A humilhação era terrível, e eles ficavam assustados só de pensar nisso. Tomavam um trago de Cuba Libre e acendiam um cigarro. Talvez isso espantasse o medo, além de dar ares de sabido. Talvez isso fizesse que a moça pretendida olhasse e se "derretesse"; ou seja, olhasse com a admiração típica de quem se rende e se entrega. Despertava também fantasias românticas, não só sexuais. Afastados da família, eles sonhavam com namoros, com amor puro e sincero. Enquanto isso não acontecia, tomavam tragos e acendiam cigarros para ver se estes traziam coragem e, também, sorte.

Quando, lá pelos 20 anos de idade, esses assuntos estavam mais bem resolvidos, quando os jovens estavam mais seguros com as moças e com a própria sexualidade, eles já haviam se tornado fisicamente dependentes do cigarro, que era necessário na hora das provas, ao falar com uma pessoa nova e importante, para pedir emprego etc. O cigarro era o fiel companheiro de todas as horas, especialmente das mais difíceis.

E as coisas ficaram assim por dez, vinte, trinta anos. Uns fumavam quinze ou vinte cigarros por dia. Outros, minoria, mais de quarenta. Uns tossiam muito; outros, não. Uns tiveram enfarte do miocárdio precocemente; outros, não. Chega uma hora para quase todos em que é necessário pensar em parar de fumar. O simples pensar é extremamente doloroso, ao menos no início. Surgem as notícias claras acerca dos malefícios do cigarro. As pessoas ficam com medo de morrer antes da hora. Não há mais saída. Mas é tão difícil e tão sofrido! Sim, mas não tem mais jeito: os malefícios são evidentes e o bom senso exige que se trate o assunto com certa prioridade. Graças a Deus, o tabagismo é um vício que não perturba demais a lucidez e o senso ético dos viciados, de modo que podemos contar com a razão para nos salvar.

Mas a razão, em geral bastante eficaz, se vê fraca diante desse obstáculo. É preciso andar devagar. É preciso entender que o processo de conscientização e de resolução pode durar anos — em média dois anos. É necessário, antes de tudo, estar absolutamente convencido de que se precisa e se deseja parar de fumar. E os avanços da ciência, mostrando os malefícios do cigarro, ajudam a formar essa convicção, além da constatação humilhante de que somos totalmente fracos, imponentes e dependentes desse cilindro branco. O charme social ligado ao cigarro desapareceu e hoje a situação está invertida: o que dá prestígio é não fumar. A vaidade mudou de lado e isso facilita bastante o processo em todos nós.

É chegada a hora dos primeiros testes: alterarmos alguns dos hábitos ligados ao cigarro. Deveríamos ficar sem fumar até certa hora da manhã, quando estamos dirigindo, ou quando estamos sentados em nossa cadeira favorita. Cada um fará seu roteiro, sempre subtraindo o cigarro e aumentando a atividade física e as coisas agradáveis, que passam a ser feitas sem a presença do fumo. O processo é lento e visa a algumas conquistas, tanto para desvincular o cigarro dos prazeres como para reduzir nossa dependência física em relação à nicotina.

Quando estivermos suficientemente fortes para ter boas chances de sucesso, e quando forem criadas condições objetivas favoráveis — um resfriado com forte dano para as vias aéreas superiores, ou algum amigo ou familiar que decida parar de fumar ao mesmo tempo —, é chegado o dia D. Paramos totalmente com os cigarros e experimentamos o que já sabíamos: dores terríveis, desejo desesperado, alterações na razão que, de repente, está pronta a argumentar a favor do cigarro. São terríveis e indescritíveis os primeiros dias de abstinência, caracterizados pelo "desejo lancinante" de um cigarro, exatamente como em qualquer tipo de vício por drogas psicoativas. É dor equivalente à ruptura de histórias de paixão. É dor de perda. É dor de amor.

Muito aos poucos, a sensação de dor se atenua e o desejo se torna mais suportável. O organismo agradece e a disposição física é melhor. Para os que se dedicarem a atividades atléticas mais exigentes, o benefício é mais sensível. Para muitos, o sono melhora. O que parecia impossível acontece com facilidade maior do que o esperado. A comida tem mais gosto e melhor cheiro.

As mãos se ressentem menos do que esperávamos e mais que depressa se adaptam à nova vida. Quem resiste mais é a boca, e surge a "inquietação oral". Parece que está faltando alguma coisa. Parece que essa coisa é o cigarro, mas não é. Na realidade, falta o útero do qual fomos expulsos, e por isso nos sentimos desamparados. Falta o seio materno; falta a chupeta. Falta algo que nos faça sentir mais amparados. Falta algo que substitua o cigarro, que, por décadas, fez o papel da chupeta.

Isso que falta nos obriga a refletir. E é por essa via que o processo de interrupção do vício de fumar tem uma riqueza humana extraordinária. Precisaremos perceber nossa condição de humanos desamparados e ser mais fortes em relação a isso. Teremos de desenvolver nossa individualidade de forma mais completa para enfrentar os desafios da vida sem usar recursos duvidosos, como as drogas. Teremos de refletir sobre a questão religiosa e desenvolver certa humildade, própria de quem não sabe de onde veio e para onde vai; própria de quem olha para o céu e se sente pequeno, insignificante; própria de quem pressente a existência de forças maiores do que nós.

O tempo vai passando e percebemos que já faz meses que não fumamos, ou mais de um ano. Orgulhamo-nos disso. Compreendemos que "nunca mais" voltaremos a fumar, e isso nos lembra que somos mortais. Eis aí mais uma razão para dor e também para reflexão: o medo da morte não se justifica, pois não sabemos nada a respeito dela. Tememos a repetição do pânico e da dor que sentimos ao nascer. Ficamos mais apaziguados e um pouco mais humildes, em virtude de nossa ignorância e impossibilidade de avançar muito nesse tema. Deixar de fumar vai se transformando num assunto menor e, de repente, nem orgulho pelo fato de termos parado nós sentimos. Estamos curados. O cigarro foi um simples engano.

Esse é o caminho que proponho. Longo, penoso, complexo e, ao mesmo tempo, fascinante. Não é prudente e sábio sofrer à toa. Já que teremos de sofrer, pelo menos que aprendamos, na carne, as coisas que mais contam na vida. Cabe a pergunta: e se escorregarmos e, em algum ponto, não conseguirmos agüentar a dor e voltarmos a pegar no cigarro? Não há problemas maiores; e isso não deve gerar grande culpa, tanto porque isso enfraquece a razão como porque o obstáculo é dificílimo de ser ultrapassado. Basta que recuemos um pouco e tomemos fôlego para tentar de novo. A cada tentativa nossas chances de sucesso crescem, uma vez que passamos a conhecer o caminho cada vez melhor. O mesmo acontece quando há tendência para a substituição por outro vício — especialmente comida. Ou voltamos ao cigarro e nos preparamos melhor ou enfrentamos o vício da comida. Este último caminho nos levará às mesmas reflexões, às mesmas dores e às mesmas sensações de compreensão mais profunda da vida que tivemos em relação ao cigarro. **No fim, concluímos apenas que os vícios são atalhos que tomamos, por medo de enfrentar os percalços da vida. E é por isso que o processo de cura é tão rico e gratificante — apesar da dor.**

Não só deveremos terminar esse ciclo sem grande — ou sem nenhuma — vontade de fumar como também absolutamente conscientes de que fomos viciados em uma droga que gera dependência física e psicológica. Por isso, não cabe ilusão em nenhum período do processo: é um caminho sem volta. Quem já foi viciado não poderá jamais ser um "fumante social"; ou seja, fumar, de vez em quando, um charuto ou um cigarro. A cura do vício do cigarro envolve a busca de caminhos sofisticados para a vida interior. Envolve, também, a mais radical e absoluta distância em relação a tudo que contenha nicotina e a tudo que lembre o cigarro. **É bom lembrar que quem já foi viciado em cigarro poderá sê-lo com maior facilidade em outras drogas. Ele carrega uma forte tendência para se apegar firmemente a objetos e, principalmente, a substâncias químicas. Portanto, não deveria facilitar as coisas, abstendo-se de álcool e de qualquer outro tipo de droga.**

* * *

O tema dos vícios nos obriga a um sem-número de reflexões a respeito da condição humana. A enorme quantidade de pessoas viciadas em todos os tipos de droga, em todos os cantos do mundo, é sinal de sua relevância. A busca dessa espécie de apoio, desse tipo de vínculo emocional, desse tipo de remédio para a questão do desamparo mostra como nossa civilização anda mal do ponto de vista psicológico. Pode ser que tenhamos evoluído muito no que diz respeito à conquista da natureza e ao encontro de formas mais confortáveis de viver a vida prática. Do ponto de vista espiritual, entretanto, vamos de mal a pior.

A questão se torna crucial durante os anos da adolescência. Os jovens, totalmente avessos ao pensamento religioso, não sabem o que fazer da vida. Quando falo em pensamento religioso, não estou preocupado com o discurso ou com o fato de ir ou não à missa aos domingos. **Quero dizer que só conseguimos transmitir aos nossos descendentes os valores materiais que nos cercam. Não há espaço na cabeça deles, preenchida por programas de TV e por jogos eletrônicos, para pensar em afetividade ou vazio existencial, bem como na necessidade de dar sentido real à vida.** Não há espaço para proceder à auto-análise ou à auto-avaliação, nem para pensar sobre as coisas que não trazem recompensa concreta imediata.

Eu não teria nenhuma restrição a uma vida conduzida dessa maneira se esta não redundasse em complicações e problemas de solução difícil, como é o caso do uso regular de drogas psicoativas. Não se trata de um discurso moralista, e sim da constatação de que desenvolvemos apenas uma parte de nossa potencialidade. **Conseguimos olhar para fora e dominar o mundo material que nos cerca, mas atrofiamos nossa capacidade de olhar para dentro e buscar saber quem somos e o que viemos fazer aqui. Ficamos mancos: uma parte hipertrofiou-se e a outra atrofiou. O desamparo e o vazio são máximos nessas condições, e as portas para o uso de drogas se escancaram.** O cigarro vem em primeiro lugar, pois a proibição é discreta. Então vêm a bebida alcoólica, a maconha e a cocaína. E depois, o que virá?

Poderíamos ter sido mais competentes no trato das coisas materiais e na organização da vida em grupo. Porém, o que os adolescentes encontram à medida que vão se familiarizando com o mundo dos adultos? Desigualdades brutais, privilégios distribuídos imerecidamente, portas fechadas para terminadas raças, sexos em luta, amizades e vínculos amorosos totalmente destruídos e elos se sustentando de modo hipócrita. Fazem planos para si e percebem que muito dificilmente conseguirão realizá-los. Isso vale também para o aspecto prático, pois é evidente que apenas uns poucos conseguirão atingir o sucesso no plano profissional e econômico. Vale a pena enfrentar essa luta ou é melhor capitular logo e tratar de se "divertir" e aderir às propostas de prazer imediato que são feitas pelas drogas? Criamos este mundo, vivemos segundo ele e depois morremos de medo que nossos filhos trilhem o caminho das drogas. É hora de mudar. É hora de revermos nossas posições. Insisto: o caminho para parar de fumar, assim como ocorre com qualquer vício, coloca-nos diante dessa perspectiva de renovação e introspecção.

Vejam o paradoxo: o maior argumento de que é verdadeira a carência humana de uma visão mais subjetiva da vida e de outras coisas que não sejam a relação com o mundo material reside exatamente na constatação de que as pessoas atribuem aos objetos, com os quais se

relacionam intimamente, um valor afetivo! Estabelecemos vínculos emocionais com objetos, e isso só pode significar nossa ânsia por esses elos. Estamos carentes de aconchego e o buscamos nos objetos que nos cercam.

Será isso razoável? Será que não é melhor levar a sério a subjetividade e parar de nos ligar desse modo às coisas materiais? Será que nossa casa terá de ser o substituto do útero perdido? Ou será que deveria apenas ser um local agradável e confortável onde pudéssemos repousar e ter paz? Não tenho dúvida de que esse caminho tortuoso que o nosso materialismo tomou tem gerado grande sofrimento e empobrecimento na humanidade. Além do mais, a porta dos vícios está aberta de uma vez por todas: se nos apegamos assim a objetos desse tipo, o que dizer de outros — as drogas —, que nos provocam, ainda por cima, agradáveis sensações psíquicas?

Talvez essas breves observações expliquem, mais uma vez, por que o retorno a uma visão mística, religiosa e menos materialista da vida pode ser de grande valia no combate às drogas. Já fui muito enfático no outro enfoque, mais imediatista e de responsabilidade direta da sociedade, que diz respeito à transferência da vaidade para a direção da boa disposição e aparência física, que envolve a renúncia ao cigarro e a todas as outras drogas. Cabe o uso de todo tipo de propaganda e todo tipo de veículo para sensibilizar os jovens. Cabe o esforço de ajudarmos, a qualquer preço, aqueles que já se viciaram a se livrar das dependências. É nosso dever entender melhor tudo isso e tentar sugerir os caminhos da recuperação.

* * *

Nossa tendência integrativa, nossa ânsia amorosa, que implica alguma forma de dependência em relação às outras pessoas, é ativada automaticamente a partir do nascimento. Buscamos recuperar a paz e a harmonia perdidas pela ruptura da simbiose uterina mediante a aproximação física — e depois também intelectual — com outras pessoas que nos são especiais. Já a tendência para a individuação, para a independência não se ativa de forma tão automática. É necessário que a criança seja forçada, por exemplo, a andar, para que ela aprenda a gostar de se locomover por si própria. É preciso que cresça dentro dela esse orgulho íntimo — coisa da vaidade e, portanto, ligada à nossa sexualidade, que é essencialmente individualista — de ter sido capaz de ultrapassar um obstáculo, de resolver qualquer tipo de dilema.

É bom registrar que individualismo não é sinônimo de egoísmo. Individualismo é gostar de ficar consigo mesmo, tentar se bastar ou ficar o mais próximo possível desse estado. Egoísmo é tentar se apropriar do que é do outro, é roubo, e por isso é a mais óbvia manifestação de dependência, pois a pessoa não pode deixar de explorar terceiros para poder se sustentar (em qualquer sentido dessa palavra). O egoísta não tem auto-suficiência alguma. O individualista busca exatamente isso. Talvez não seja pessoa de muitas trocas, pois não terá interesse em se apropriar do que não é seu; já entendeu que isso o torna fraco e dependente. A sensação de esperteza ligada a levar vantagem em tudo é superficial; o benefício imediato não vale o preço do empobrecimento da auto-estima a médio prazo.

As crianças que não forem educadas para a independência e para a construção de uma individualidade sólida serão as que, com maior facilidade, poderão cair na armadilha das drogas no período da adolescência. Pais excessivamente generosos, sempre dispostos a dar o melhor de si aos filhos, estão, sem perceber, gerando filhos fracos e dependentes. Ao superprotegê-los, estão subtraindo sua capacidade de se aprimorar na resolução de novos problemas. Se eles não experimentarem a sensação de satisfação e de orgulho oriunda da solução, por eles mesmos, das dificuldades que vão surgindo, verão a construção de sua auto-imagem inibida. Não terão noção de seu potencial e tenderão para se colocar como fracos e incompetentes. Não puderam testar suas aptidões. Não puderam aprender com seus erros. A superproteção dos pais os castrou. Quando, na adolescência, eles tiverem de se mostrar independentes a qualquer preço, facilmente se comportarão de acordo com o grupo de jovens aos quais se ligarem. A necessidade de se opor, de modo radical, à família poderá impulsioná-los para grupos de conduta opostos aos padrões familiares. E é este o ponto: as drogas são, hoje em dia, o símbolo dessa oposição.

A superproteção deriva de várias causas, mas a principal delas é um desejo inconsciente dos pais — ou de

um dos pais — de que o filho não cresça e seja permanentemente infantil e dependente. É como se esses pais tivessem muito medo de que a auto-suficiência dos filhos os levasse para uma vida própria que excluísse, ao menos em parte, a família. E é claro que isso pode acontecer. Na verdade, educar é fazer que esse novo membro da comunidade possa voar por seus meios. Educar é seguir esse modelo. Mas quantos pais suportam a idéia de que os filhos os abandonem? Cada vez mais os adultos estão carentes; cada vez mais os vínculos afetivos adultos são instáveis. O que acontece? Os pais se apegam demais às crianças e depois não podem suportar a idéia de que elas cresçam e os abandonem. Está tudo invertido: hoje são os pais que morrem de medo de perder o afeto dos filhos!

Poucas famílias usam o bom senso. Algumas são como as que descrevi acima. Outras são o oposto delas: os filhos crescem sem que se preste a menor atenção neles. Nesse caso, os pais estão ocupados com seus interesses e só se relacionam com os filhos se for para levar alguma vantagem. Os pais do primeiro grupo dão muito e não cobram nada em troca. Esse outro grupo não dá nada e cobra tudo que puder. **Essas crianças crescem frustradas e fracas porque não receberam o mínimo para poder florescer. Crescem revoltadas e cheias de mágoa dos pais. Crescem "de mal" com a vida. Não têm esperanças nem planos. Só querem sobreviver da forma mais fácil possível. Não perderão a oportunidade de se apegar a todo tipo de drogas quando, na ado-**

lescência, elas lhes aparecerem. Cresceram para ser perdedoras e terão muito prazer em se ligar a um grupo marginal que se sente superior, vencedor, apenas porque é viciado em drogas proibidas.

E o que é bom senso em educação? É educar as crianças para as verdadeiras relações humanas. E o que são relações humanas? São relações de troca. As crianças não podem trocar; só podem receber, pois nascem totalmente despreparadas para a vida. À medida que crescem, vão ganhando forças e auto-suficiência. A partir daí, os adultos deveriam parar de fazer por elas o que elas já podem fazer por si. Educar é fazer que as crianças sejam independentes. É querer ver, ainda que com lágrimas nos olhos, o "passarinho" sair voando pelos próprios meios. Educar é prepará-las para a vida real.

Quando as crianças passam a ser capazes de realizar algumas tarefas do interesse coletivo, além daquilo que já fazem por si mesmas, isso deve ser muito estimulado. As crianças deverão ser membros produtivos da família, receber carinho, conselhos, proteção material e emocional. Deverão retribuir com gratidão, com respeito e consideração. E, depois, com atividades úteis ao grupo como um todo. O filho estará pronto quando as trocas entre ele e os pais forem idênticas. Não havia sentido no padrão tradicional, em que os filhos ficavam devendo eternamente aos pais. Mas também não há sentido algum no padrão contemporâneo, em que os pais nunca acabam de pagar suas dívidas para com os filhos. Educar é, pois, conduzir o crescimento de um recém-nascido totalmente dependente para um adulto competente para as trocas eqüitativas; ou seja, para um adulto o mais independente possível.

Adultos mais independentes, que podem ser chamados de mais maduros, detestam ficar no papel daquele que recebe mais do que dá; detestam também o papel inverso, o do que dá mais do que recebe. Fogem, portanto, das relações que envolvem as trocas desiguais. Estas últimas, como sabemos, são incrivelmente mais comuns nas relações afetivas e conjugais. Em quase todos os casais, um dos cônjuges é o generoso — masoquista, na linguagem de Erich Fromm — e o outro é o egoísta — sádico. Vivem uma dependência recíproca, que faz muito mal a ambos. O generoso dá mais do que recebe porque acha que assim se sente mais seguro e com menos medo de rejeição; se sente péssimo, pois sua atitude subentende a idéia de que, se não agir assim, será abandonado. Ou seja, tem de "comprar" o pouco de afetividade que recebe. O egoísta não tem escolha: precisa receber mais do que dá porque é pobre e tem muito pouco a dar — e se sente péssimo por isso mesmo.

Amor entre pessoas diferentes: esse é o futuro sentimental dos que não desenvolvem suficientemente a individualidade para se tornar criaturas independentes. "Amor" que deve ser escrito entre aspas, pois será tudo, menos uma emoção construtiva, positiva. Esse tipo de amor é, na verdade, a antivida. É a possessividade e o ciúme máximos, é dominação e inveja, é o predomínio absoluto da regressão total. Relações amorosas entre semelhantes, de trocas equivalentes, só serão possíveis para os que chegaram a uma forma de independência. O amor implica certa dependência, mas como ela é bilateral e similar há troca aqui também, de sorte que o que se recebe "neutraliza" o que se dá. As afinidades garantem a pouca necessidade de fazer concessões, e a vida em comum é rica e produtiva.

A plenitude do amor é outra conquista possível para os que conseguiram uma razoável independência. E não a independência com rancor, aquela que se construiu "porque não teve outro jeito". A independência desejada, buscada pela razão como sinal de que se chegou à composição mínima da individualidade. É óbvio que é muito raro que as pessoas estejam prontas durante os anos da adolescência, mas é esse o objetivo de uma educação bem dirigida que tenha por meta o bem-estar dos filhos — acima dos interesses afetivos dos pais. E é óbvio que, ainda que estejamos nos ocupando de formar nossos filhos, a adolescência é um período perigoso, que inspira atenção e cuidados por parte dos pais e da coletividade.

Os adolescentes, especialmente os menos bem formados, costumam ser meio prepotentes. Acham que sempre estão com a razão e já sabem o suficiente sobre a vida. Temos de ensiná-los a ser um pouco mais humildes, pois eles acabam pagando muito caro por essa altivez tão própria dos que ainda se sentem fracos. Precisamos mostrar a eles que não é crime ou vergonha não saber as coisas e que perguntar e tentar se informar é o melhor caminho. **E é em virtude dessa fragilidade, meio obrigatória nesse período difícil da vida, que cabem também as atitu-**

des mais radicalmente contrárias às drogas por parte dos nossos líderes. É uma hora em que a propaganda contras as drogas — inclusive, insisto, o cigarro e a bebida alcoólica — pode ser muito eficaz. Quando bem-feita, ela direciona a vaidade no sentido da saúde, e os jovens são muito sensíveis a esse tipo de argumento — a vaidade, é claro. Para a saúde ligam pouco, pois ainda a têm sobrando.

O mais urgente é que a sociedade se coloque claramente a favor da existência de pessoas mais bem individualizadas, mais independentes, mais para a frente, para a vida. Sociedades que estimulem essa conduta estão efetivamente combatendo as drogas. Infelizmente, percebemos que o mais importante ainda não está sendo feito.

De todo modo, chega de especulações, pois elas nos afastam cada vez mais da realidade e do problema que levou você a me acompanhar até aqui. Quanto mais formos capazes de saber sobre os vícios, mais equipados estaremos para, quando chegar a hora, combater a dependência com boas chances de vitória. Do ponto de vista de quem quer parar, o cigarro é um vício terrível e extremamente difícil de ser abandonado. É uma aventura cheia de percalços e sofrimentos, mas riquíssima em crescimento interior. É um vôo extremamente turbulento, mas quando o avião pousa sentimo-nos profundamente orgulhosos de nós mesmos. Portanto, apertem os cintos e boa sorte!

— — — — — — — — — — . dobre aqui . — — — — — — — — —

CARTA-RESPOSTA
NÃO É NECESSÁRIO SELAR

O SELO SERÁ PAGO POR

AC AVENIDA DUQUE DE CAXIAS
01214-999 São Paulo/SP

— — — — — — — — — . dobre aqui — — — — — — — — —

CADASTRO PARA MALA-DIRETA

Recorte ou reproduza esta ficha de cadastro, envie completamente preenchida por correio ou fax, e receba informações atualizadas sobre nossos livros.

Nome: _____ Empresa: _____

Endereço: ☐ Res. ☐ Coml. _____ Bairro: _____

CEP: _____ - _____ Cidade: _____ Estado: _____ Tel.: ( ) _____

Fax: ( ) _____ E-mail: _____ Data de nascimento: _____

Profissão: _____ Professor? ☐ Sim ☐ Não Disciplina: _____

Grupo étnico principal: _____

1. Você compra livros:
☐ Livrarias ☐ Feiras
☐ Telefone ☐ Correios
☐ Internet ☐ Outros. Especificar: _____

2. Onde você comprou este livro? _____

3. Você busca informações para adquirir livros:
☐ Jornais ☐ Amigos
☐ Revistas ☐ Internet
☐ Professores ☐ Outros. Especificar: _____

4. Áreas de interesse:
☐ Psicologia ☐ Corpo/Saúde
☐ Comportamento ☐ Alimentação
☐ Educação ☐ Teatro
☐ Outros. Especificar _____

5. Nestas áreas, alguma sugestão para novos títulos? _____

6. Gostaria de receber o catálogo da editora? ☐ Sim ☐ Não

Indique um amigo que gostaria de receber a nossa mala-direta

Nome: _____ Empresa: _____

Endereço: ☐ Res. ☐ Coml. _____ Bairro: _____

CEP: _____ - _____ Cidade: _____ Estado: _____ Tel.: ( ) _____

Fax: ( ) _____ E-mail: _____ Data de nascimento: _____

Profissão: _____ Professor? ☐ Sim ☐ Não Disciplina: _____

MG Editores
Rua Itapicuru, 613 7º andar   05006-000   São Paulo - SP Brasil Tel.: (11) 3872-3322   Fax: (11) 3872-7476
Internet: http://www.mgeditores.com.br   e-mail: mg@mgeditores.com.br